KB065141

홈퍼니싱 시장 및 기업분석

BT TIMES

목차 *Contents*

1. 홈퍼니싱 개요

1. 홈퍼니싱 개요

가. 홈퍼니싱의 정의

홈퍼니싱이란 홈(home·집)과 퍼니싱(furnishing·단장하는)의 합성어로 인테리어 소품, 가구, 벽지, 침구 등을 셀프 인테리어 하는 것을 뜻한다.[1] 그리고 홈퍼니싱에 활용하게 되는 가구들을 홈퍼니싱 제품이라고 지칭한다.

오늘날 홈퍼니싱이 새로운 주거 트렌드로 떠오르는 이유는 과거와 다른 집에 관한 인식의 변화 때문이다. 욜로족('인생은 한 번뿐이다'를 뜻하는 You Only Live Once의 앞 글자를 딴 용어로 현재 자신의 행복을 위해 소비하는 태도)[2], 워라밸세대(일과 삶의 균형이라는 뜻으로 "Work and Life Balance"의 준말)[3]라고 지칭하는 2030대들은 집을 단순히 잠자는 공간이 아닌 자신의 개성을 드러낼 수 있는 공간이라고 인식한다. 이들은 대부분 1인가구로서 양적 측면에서만 아니라 질적 측면에서도 자기만족을 위한 소비에 투자한다. 그 형태는 내부적 자기 만족형 소비를 추구하면서도 차별적 욕구와 합리성을 추구하는 경향인데 이와 맞물려서 홈퍼니싱 관련 산업이 팽창하고 있다.[4]

대부분의 주거 형태는 오피스텔이나 도시형 생활주택과 같은 소형주택을 선호하고 이 제한된 주거 공간을 효율적으로 활용하면서 그 안에서 자신의 개성을 드러내길 원한다. 그로 인해 멀티적인 디자인 상품을 선호한다. 대부분 자가가 아니라 전월세로 거주하기 때문에 이사를 자주하게 되고 업자를 부르는 인테리어나 비싼 가구가 아닌 벽지를 바꾸거나 생활소품을 이용해서 집을 꾸민다.

---

1) 네이버 지식백과, 홈퍼니싱 사전적 의미, 재구성
2) 네이버 지식백과, 욜로족 사전적 의미
3) 네이버 지식백과, 워라밸 세대 사전적 의미
4) 김태선 (2016), 1인 가구의 소비성향 분석을 통한 홈퍼니싱 제품전략 연구, 한국가구학회지

이러한 주거형태 때문에 한 번 구입하면 10년 이상 사용하던 내구재로서의 가구에 대한 인식이 유행에 따라 소비하는 '패스트 퍼니처'의 개념으로 변화하는 추세가 되었고, 상대적으로 저렴한 가구나 소품 들을 이용해 자신의 개성을 나타내는 문화가 자리 잡게 되었다.

이렇게 사람들의 라이프스타일과 가구 소비에 대한 시각이 변화되면서 홈퍼니싱의 시장 규모가 점차적으로 확대되어가고 있는 추세다.

나. 홈퍼니싱 관련 신조어

1) 홈퍼니싱 신조어

#방스타그램

방과 인스타그램(SNS)의 합성어로,
방 사진을 인스타그램에 공개할때 사용하는 태그

#집안여가족

집안에서 여가를 즐기는 사람들

#랜선집들이

SNS에 자신의 집 인테리어를 찍어서 공유하는 트렌드를
뜻함. SNS상으로 집들이를 한다는 개념.

#홈스케이프

집(Home)과 탈출(Scape)의 합성어.
사회생활에서 탈출해 집으로 돌아와서 휴식을 취한다는 뜻.

#스테이케이션

집안에서 보내는 휴가를 뜻함
Stay+Vacation

오늘날 홈퍼니싱은 인스타그램 등 sns의 발달과 맞물려서 sns를 통해 다른 사람들의 인테리어를 쉽게 접하게 되고, 자신의 공간을 #홈스타그램(홈+인스타그램의 신조어) #집스타그램(집+인스타그램의 신조어)등으로 자랑하곤 한다. sns뿐만 아니라 인터넷 커뮤니티에서도 '랜선집들이'도 유행하고 있다.

인스타그램에서 '#홈스타그램'이란 해시태그를 단 게시글은 148만개에 달하고 '#온라인 집들이'란 해시태그를 단 게시글은 5만개에 달할 정도로 sns을 통해 타인의 취향을 엿보고 자신의 취향을 드러내고 자신이 꾸민 집을 자랑하고 싶은 사람들이 매우 많다는 것을 보여준다.

2) 유튜브와 홈퍼니싱

Room Tour

유튜브에서 유행하고 있는 영상으로, 자신의 집 내부 인테리어를
영상으로 촬영하여 공유하는 트렌드. '룸투어 영상'이라고 불림.

 홈퍼니싱 산업과 유튜브 또한 연관성이 깊다. 요즘은 '룸투어(Room Tour)' 영상이 유튜브 내에서 유행처럼 번지고 있다. '룸투어'는 자신의 집 내부 인테리어를 영상으로 촬영하여 공유하는 트렌드를 말하며, 10평 미만의 작은 원룸·오피스텔부터 시작해, 투룸, 쓰리룸 등 다양하며 인테리어 비용도 적은 예산으로 진행한다.

유튜버와 홈퍼니싱 관련 업체들은
'브랜드 광고' 콘텐츠 기획으로 상생 및 협력

 유튜버가 자신의 브이로그에 이와 같은 '룸투어' 영상을 업로드하면 구독자들은 자연스럽게 인테리어 정보를 궁금해하고, 유튜버는 인테리어 소품을 구입한 사이트 정보 등을 상세하게 알려줌으로써 해당되는 인테리어 사이트는 자연스럽게 광고효과를 얻게 된다. 이로 인해, 인테리어 업체들은 비교적 많은 구독자 수를 보유하고 있는 유튜버들과 직접적으로 '브랜디드 콘텐츠'라는 브랜드 광고를 진행하기도 한다.

다. 온라인에서의 홈퍼니싱

이름	비고
오늘의 집 (ohou.se)	SNS형태로 홈퍼니싱 사례 공유, 제품 판매
집꾸미기 (www.ggumim.co.kr)	매거진/스토리/스토어로 구성되어 정보공유와 제품판매
하우스 (www.houseapp.co.kr)	80만 카카오스토리 팔로워를 기반으로 가구할인정보 제공
하우즈프로 (www.houze-pro.com)	인테리어디자인 회사의 작업 사례 소개 및 연결, 제품판매
하우즈 (www.houzz.com)	미국의 O2O 플랫폼. 전문가와 연결된 전자상거래 5)
문고리닷컴 (www.moongori.com)	안산의 온라인 철물점에서 시작. 온오프라인 매장 운영

이제 홈퍼니싱 산업도 오프라인에서 온라인, 온라인에서 모바일로 옮겨가는 추세다. 어플리케이션인 '오늘의 집', '집꾸미기' 등의 플랫폼이 홈퍼니싱 소비자들 사이에서 인기있는 것으로 알려졌다. 이러한 어플리케이션들의 특징은 단순히 인테리어 소품을 판매하는 것이 아니라, 다른 사람들의 인테리어를 구경하면서 참고할 수 있다는 점이다. 특히 '오늘의 집'은 온라인 집들이 콘텐츠부터 스토어, 전문가 시공 서비스 등 인테리어에 필요한 모든 서비스를 한번에 제공 중이다.

인테리어 플랫폼 '오늘의집' 운영사 버킷플레이스는 '오늘의 집'이 2020년 4월 기준 앱 다운로드 1천만건을 돌파했다고 밝혔다. 2019년도 4월 500만 다운로드 돌파 후 1년 만에 2배 성장을 이뤄낸 것이다. 특히 인테리어 앱에서 1천만 다운로드는 업계 최초의 기록이다.

오늘의집 가입자 수는 2020년 5월 기준 810만명이며, 2018년 구글플레이 올해의 베스트앱을 수상한 바 있다. 버킷플레이스 대표는 "사회적으로 집에 머무는 시간이 증가하고 주거 트렌드가 변화하면서 더욱 많은 분들이 활용하는 서비스가 될 것으로 생각한다"고 덧붙였다.6)

---

5) 출처: KB지식비타민: 이케아 진출 2년, 홈퍼니싱 시장의 변화(2016)

라. 미디어에서의 홈퍼니싱

미디어에서도 MBC '나 혼자 산다'와 같은 프로그램을 통해 연예인들의 집을 엿보고 그들이 꾸미는 모습을 보고 자신도 따라 해보고 싶다는 생각을 갖게 해주었다. 연예인들의 집 인테리어 소품 등이 화제가 되어 온라인에서 인기를 끌기도 하였다.

SBS에서 2020.02.21.부터 방영중인 <집사의 선택>이라는 프로그램도 홈퍼니싱을 주제로 하여 다양한 인테리어 정보를 제공하고 있다.[8]

---

6) 오늘의집, 누적 다운로드 1천만 돌파/bloter
7) 출처: MBC '나 혼자 산다' 캡쳐

마. 2020 홈퍼니싱 트렌드

1. 레트로 퓨처리즘 Retro-Futurism

2020 홈퍼니싱 트렌드의 첫 번째 키워드는 '레트로 퓨처리즘'이다. 이는 '거슬러 올라간다'는 의미의 '레트로(retro)'와 '미래주의'를 뜻하는 '퓨처리즘(futurism)'의 합성어로 알려졌으며, 복고풍의 감성과 미래적인 느낌을 함께 주는 것이 특징이다. 이러한 레트로 퓨처리즘은 기하학적 패턴과 화려한 색감을 포인트로 한다. 따라서 원색적인 색감들과, 화려한 패턴, 미래적인 느낌을 줄 수 있는 메탈 소재, 포인트를 줄 수 있는 예술품 등을 모티브로 한다.

#기하학적 오브제 #메탈 소재 #비비드한 컬러 #화려한 패턴

2. 뉴 클래식 New Classic

2019년도에는 '뉴트로(New-tro)'라는 트렌드가 있었다. 이는 New + Retro라는 합성어로 과거의 트렌드를 현대적인 감각으로 재해석한다는 의미를 지닌다. 한편, 2020 홈퍼니싱 두 번째 키워드는 바로 '뉴 클래식'이다. '뉴트로'보다 모던함, 우아하고, 고급스러운 이미지를 더욱 강조한다는 것이 특징이다. 이는 유럽의 오래된 건물 등에서 볼 수 있는 '아치형 구조물'처럼 전체적으로 집 안의 인테리어를 아치형 구조의 시공을 통해 고전적인 느낌을 강조하고, 골드와 화이트 컬러의 소품들을 포인트로 주어 우아하고 클래식한 느낌을 더하는 것이다.

#골드와 화이트컬러의 스탠드 #화이트 벨벳 소재의 의자 #아치형 구조의 시공

---

8) 출처: SBS 집사의 선택 프로그램 https://programs.sbs.co.kr/cnbc/cnbchouse/about/63852

3. 지속가능한 자연주의 Sustainable naturalism

'자연주의' 트렌드는 오랫동안 사랑받는 트렌드가 되었다. 다만, 2020 홈퍼니싱 트렌드로는 '지속가능한'이라는 단어가 덧붙여졌다. 이는 자연적인 소재들이 더욱 각광받는다는 의미이다. 따라서 원목이나 라탄, 식물 등의 인테리어 소품들이 사랑받을 예정이다.

#패브릭소재 #라탄 #마크라메 #우드와 원목 소재

4. 2020 올해의 컬러 Classic blue

9)

2020 올해의 컬러로 팬톤사는 '클래식 블루'를 꼽았다. 이는 패션과 디자인, 홈퍼니싱 인테

---

9) 출처: Pantone

리어 분야에도 다양하게 접목될 예정이다.

바. 2020 홈퍼니싱 박람회

1) 서울리빙디자인페어

2020년도 서울리빙디자인페어는 막을 내렸으며, 2021년도 2월 24일부터 2월 28일까지 서울 코엑스홀에서 개최될 예정이다. 리빙 산업을 선도하는 브랜드와 소비자들의 좋은 동반자가 되어 온 서울리빙디자인페어는 단순히 좋은 상품들을 모아서 전시만 하는 것이 아니라, 역량 있는 디자이너들과의 콜라보레이션을 통해 고부가가치 콘텐츠를 생산하고 토탈 마케팅 솔루션을 제시하여, 한국 리빙 산업의 미래를 이끌어 가고 있다. 인테리어 디자이너, 마케터, 트렌드 리서치 기관, 문화계 인사를 비롯하여 28만 여명의 참관객이 방문하고 있으며, 매년 최신 트렌드를 반영한 흥미로운 콘텐츠들을 선보이고 있다.

또한 국내 인테리어 산업의 국제 경쟁력을 강화하고 소비자들의 감각을 높이기 위하여 <리빙트렌드>관 외에도, VIP마케팅의 표준이 되고 있는 <리빙아트>관을 기획, 운영하고 있으며 <디자이너스초이스>를 비롯한 다양한 기획 전시와 리빙디자인어워드, 리빙트렌드세미나 등의 부대행사들도 다양하게 선보이고 있다.10)

---

10) 2020 서울리빙디자인페어 https://livingdesignfair.co.kr/

2) 인천리빙디자인페어

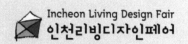

INCHEON
LIVING
DESIGN
FAIR 2020

2020. 8.20 - 8.23 at Songdo
ConvensiA
Hall 1,2,3,4

　2020년도에는 인천광역시에서 처음으로 인천리빙디자인페어를 개최한다. 인천은 수많은 해외 관광객이 한국에 첫발을 내딛는 첫 장소이며 11년 연속 세계공항서비스평가 1위를 차지한 세계적 허브 공항인 인천국제공항이 자리잡고 있으며, '송도, 청라, 영종' 지구는 경제자유구역으로 국제적인 경제 거점도시이자 전문 서비스업 중심지로 성장하고 있다. 제 1회 인천리빙디자인페어는 오는 8월 20일부터 23일까지 송도 컨벤시아 전시장 Hall 1,2,3,4에서 개최된다. 전시구성은 '리빙트렌드', '홈콜렉션', '다이닝&스타일', '인천특별관'으로 기획될 예정이다.11)

---

11) 2020 인천리빙디자인페어 http://incheon.livingdesignfair.co.kr/

3) 서울경향하우징페어

서울경향하우징페어는 2020년 6월 4일(목)-7일(일), 4일간 SETEC(세텍)에서 개최되며 ㈜메쎄이상이 주최한다. 총 540부스가 참가하며, 전시품목은 IoT·홈시큐리티부터, 공공시설재, 조명·전기설비재, 주택설계시공, 창호·하드웨어, 홈인테리어 등 다양한 분야로 나뉘어진다.[12]

2020 전시 일정

서울 | 6/4(목)~7(일) | 세텍
광주 | 6/18(목)~21(일) | KDJ센터
제주 | 6/25(목)~28(일) | ICC제주
수원 | 7/23(목)~26(일) | 수원메쎄
대구 | 9/17(목)~20(일) | 엑스코
수원 | 11/19(목)~22(일) | 수원메쎄
서울 | 11/26(목)~29(일) | 세텍

그 외 2020년도 지역별 전시 일정은 위와 같다

---

12) 경향하우징페어 https://khfair.com/setec/?

2. 국내 홈퍼니싱 시장 분석

2. 국내 홈퍼니싱 시장 분석

가. 국내 홈퍼니싱 시장과 성장배경

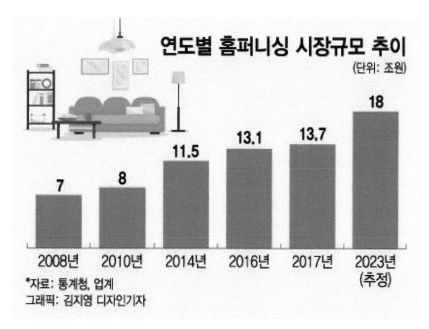

그림 17 국내 홈퍼니싱 시장규모

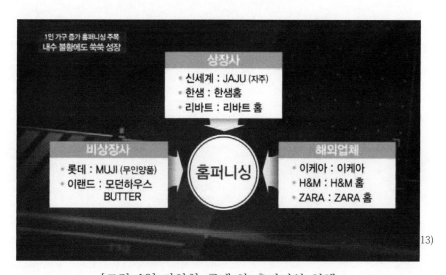

[그림 18] 다양한 국내·외 홈퍼니싱 업체

　국내 홈퍼니싱 업계 현황을 보면 가구 업체에선 해외에서 가구계의 공룡이라고 칭해지는 IKEA와 국내 기업인 한샘, 현대 리바트, 에넥스 등이 시장에서 경쟁을 하고 있다. 또한 가구

---

13) 출처:
　http://sbscnbc.sbs.co.kr/new_mobile/mobile_article_content.jsp?article_id=10000790439

업계 뿐만 아니라 유통업계인 신세계인터내셔널의 자주(JAJU), 이랜드의 모던하우스와 버터 등이 잇따라 뛰어들고 있다. 일본의 라이프스타일 브랜드인 MUJI도 롯데와 손을 잡고 한국에 진출하였으며, 글로벌 SPA 브랜드인 H&M과 ZARA가 모두 한국 시장에서 격돌 중이다.

국내 홈퍼니싱 시장은 계속해서 성장하고 있으며 이 배경에는 소득수준 향상과 1인 가구 수 증가, 가구와 라이프스타일에 대한 인식 변화, 해외 홈퍼니싱 업체들의 국내 진출이 꼽히고 있다.

통계청에 따르면 2014년 10조원 규모였던 홈퍼니싱 시장은 2023년에는 18조원에 이를 것으로 예상된다. 계속해서 성장할 것으로 예상되어지며 이런 성장배경에는 소득수준 향상과 1인 가구 수 증가와 더불어 해외 홈퍼니싱 업체들의 국내 진출이 있다고 보인다.

브랜드 경쟁력과 고객 접점확대를 위한 개별 매장의 중요성은 높다. 온라인 판매량이 증가하고 있지만, 제품 특성상 여전히 오프라인을 통해 직접 확인한 뒤 구매하는 소비자들이 상당수 있기 때문이다.[14]

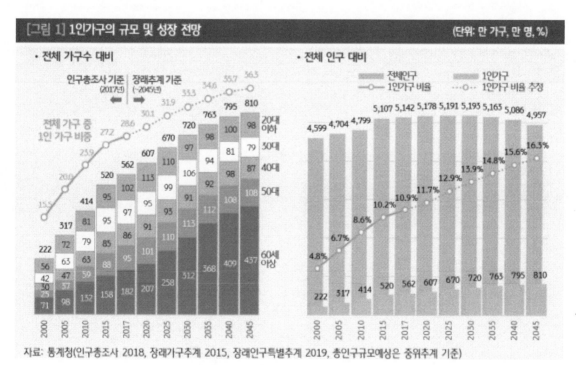

그림 19 1인 가구의 규모 및 성장 전망

최근 1인 가구의 증가, 주거공간을 중심으로 여유로운 삶을 추구하는 '휘게(hygge)' 문화 확

---

14) 머니투데이 '18조 홈퍼니싱 잡아라, 따로 또 같이 가구업계 전략 싸움'

산까지 맞물리면서 홈퍼니싱 시장의 성장이 가속도가 붙고 있다. 1인 가구가 늘어나면서 자신의 취향대로 직접 집을 꾸미는 사람들이 확대 되고 있다.

17년 기준 1인 가구의 수는 562만가구로 12년 전인 2005년 317만가구 대비 77.3% 증가했다. 2030년에는 720만가구로 2017년보다 28.1% 늘어날 전망이다. 같은 기간 전체 인구 가운데 1인 가구 비중은 지속 늘어날 것으로 예측되며, 연도별 전체 인구수와 1인 가구 비중은 2005년 4704만 명중 6.7%에서 2017년 5142만 명중 10.9%로 늘어났다. 2030년에는 전체 5191만 명 가운데 13.9% 비중을 차지할 것으로 예상됐다.[15] 1인 가구들은 대부분 합리적이면서도 실용적인 소비를 추구하지만 무조건 싼 제품이 아닌 자신이 좋아하는 색과 디자인의 제품을 통해 남들과는 다른 차별화를 추구하는 성향이 짙다. 집을 의식주를 해결하는 장소로 국한하는 것이 아니라 안식처이자 자신의 개성을 표현하는 곳이며 집 안에서 여가 생활과 취미활동을 하는 공간이 되었다. 집 안에서 머무르는 시간이 길어졌기 때문에 집을 위해서 소비를 하고 홈퍼니싱 시장의 주요 소비자들이 되었다.

인테리어 업체들은 홈퍼니싱 소비트렌드에 맞춰 소비자들을 공략하기 위해 차별화에 나서고 있다. 주문 하루 만에 도착하는 가구 배송 서비스나 실제 리모델링을 계획 중인 고객의 사연을 받아 프로그램으로 시연하는 등 다양한 혁신적인 제품과 서비스들이 출시되고 있다. 앞으로도 집 콕족들의 다양한 니즈를 충족하기 위한 혁신 제품과 서비스 출시 경쟁이 이어지며, 홈퍼니싱 수요가 꾸준히 증가할 것이라 전망했다.[16]

나. 코로나19와 홈퍼니싱 산업

코로나19 확산에 따라 국내 인테리어 시장에 대한 수요가 다시 증가하는 추세다. 2019년도에 전방산업인 건설·부동산업이 침체에 빠지면서 전반적으로 홈퍼니싱에 대한 관심도 줄어들었다. 이는 한샘과 현대리바트의 매출액 하락에서 대표적으로 살펴볼 수 있었다. 그러나 2020년도 들어 '코로나19'사태로 인해 전 국민이 '사회적 거리두기'를 실행하고 있고, 그에 따라

---

15) 이코노믹리뷰 '국민100명중 11명은 혼자 살아'
16) 소비자평가 '홈코노미 전성시대, 집콕족들을 위한 홈퍼니싱 트렌드 급성장'

#코로나19

#사회적 거리두기

#슬기로운 집콕생활

코로나19 사태로 '사회적 거리두기' 정부 지침이 시행되면서 집에 있는 시간이 많아지므로, 자연스럽게 홈퍼니싱에 대한 수요도 급증.

집에 있는 시간이 많아지면서 홈퍼니싱에 대한 수요가 급증했다는 것이다.

1) 홈퍼니싱 인기의 상승세

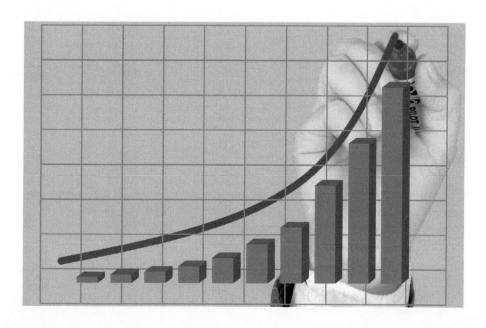

홈퍼니싱의 인기는 수치상으로도 확인할 수 있었다. 먼저 가구업계에서 소식을 알려왔다. 한샘과 현대리바트는 2020년도 홈퍼니싱 부문에서 매출의 상승세를 기록했다고 전했다. 한샘의 2020년도 3월 온라인 유통 매출(한샘몰·외부몰 가구 및 생활용품)은 2019년도 동기 대비 약 20% 상승한 것으로 집계됐다. 현대리바트도 2020년도 3월, 오늘의집에서 판매한 자사 제품 매출이 전년 동기 대비 약 13배 증가했다고 발표했다.

또한 모바일 앱 다운로드 건수에서도 홈퍼니싱의 인기를 확인할 수 있었다. 모바일 빅데이터 플랫폼 기업의 자료에 따르면 2020년도 3월 '오늘의집' '한샘몰' '이케아' 등 주요 인테리어 앱의 신규 다운로드 건수는 1월 대비 약 2배 이상 늘었다고 한다.

인테리어 관련 유통업계의 매출도 늘어나고 있다. 롯데마트몰의 2020년도 3월 초 실내 인테리어 용품 매출은 7.7% 증가했으며, 신세계백화점은 4월 초 가구·소품·침구 등 홈퍼니싱 매출이 지난해 같은 기간 대비 6.7% 오른 것으로 알려졌다. 가구 매출은 지난해 대비 59.2% 증가했고 소품 위주 생활 편집숍 '피숀' 역시 매출이 17.7% 신장했다. 위메프는 DIY 선반, 조립식 데크타일 판매량이 급증했다. DIY 선반은 한 달 동안 매출 성장률 776%, 조립식 데크타일은 274%를 기록했다. G마켓에서는 3월 8일~4월 7일 한 달간 판매된 DIY 인테리어 상품 매출이 지난해 같은 기간보다 4배가량 늘었다.

홈퍼니싱에 대한 관심도가 커지는 분위기는 시장 후발주자들에게도 기회가 될 전망이다. 현재 가장 큰 수혜를 누리는 업체는 오늘의집이다. 오늘의집은 시공보다 가구 및 소품류 판매에 강점을 가진 것으로 알려졌다. 2020년도 3월 기준 월 거래액 700억원을 돌파한 바 있다.

이와 같은 현상에 대해 업계 관계자는 코로나19사태가 국내 여러 산업 생태계의 큰 변화를 가져왔다며, 홈퍼니싱 산업도 그 변화의 일부분이라고 덧붙였다. 또한 이러한 변화는 기존 홈퍼니싱 업체들 외의 후발주자들에게도 기회로 작용할 것이라고 예측했다.[17]

2) 재택근무 활성화·홈오피스화

코로나19로 인해 '재택근무'가 늘어나고, 전국적으로 '온라인 개학'이 시행되면서 더욱더 집에 있는 시간이 많아졌다. 이로 인해 집에서 일도 하고, 공부도 할 수 있는 쾌적한 환경을 만

---

17) 코로나19 여파에 홈퍼니싱 열풍 다시 불어온다/매일일보(http://www.m-i.kr)

들려는 욕구가 높아졌다. 따라서 집을 '오피스화'하기 위해 필요한 '홈오피스템'의 수요가 높아지고 있다.

현대리바트 관계자는 사회적 거리 두기와 재택근무, 초중고교 개학 연기 등으로 인해 소비자가 집에 머무는 시간이 크게 늘었다며, 현대리바트 2020년도 1분기 온라인 판매 제품 중 매출 증가율 1~2위 제품군은 각각 소파와 책상·책장 등 서재 가구였다고 밝혔다.

다른 유통 채널도 가구 매출 상당수가 의자·가구 등 '홈오피스' 관련 제품군이었다고 밝혔다. G마켓 조사 결과 최근 한 달 동안 지난해 같은 기간보다 독서실 책상 60%, 컴퓨터 책상은 31% 판매량이 증가했다. 편하게 앉을 수 있는 게이밍 의자는 평소보다 206%나 더 팔렸다. 화상회의와 수업에 필요한 PC 카메라·마이크 판매량도 각각 303%, 444% 증가했다. 위메프에서도 컴퓨터 의자와 사무실 책상 판매량이 각각 268%, 180%씩 늘었다. 신세계백화점 가구 브랜드 까사미아의 홈오피스 가구는 3월 한 달간 지난해 대비 54% 매출 신장률을 기록했다. 4월 초 학생용 가구 매출 역시 지난해 대비 20%가량 늘었다.[18]
오피스 가구 품목 외에도 조명, 셀프 페인팅의 품목도 인기를 얻고 있다. 그 이유는, 재택근무시 눈의 피로를 호소하는 경우가 늘어나면서 조명과 방안의 색감이 중요해졌기 때문이다.

조명업계 관계자는 일하는 공간의 조명 밝기와 색온도를 쉽게 조절할 수 있는 기능을 갖춘 조명 판매가 늘고 있다면서, 서재가 없어 주방 식탁에서 일하는 경우에는 스마트폰으로 빛을 조절해 업무·식사 패턴별로 쓸 수 있는 제품이 잘 팔린다고 전했다.

---

18) 강제 집콕에 홈퍼니싱 '팡'…아늑한 홈오피스·홈카페/매경economy

한편, 삼화페인트도 코로나19 발생 이후 온라인을 중심으로 셀프 페인팅 관련제품 판매량이 10% 이상 늘어난 점에 착안하여, '셀프 페인팅 가이드'를 내놓았다. 또한 집안 컬러를 업무, 휴식, 생활 등으로 구분한 패키지도 선보였다. 업무공간은 파스텔 계열의 블루 색상으로 구성해 집중도를 높이는 데 주력했고, 기타 공간은 피로감이 적은 연한 회색과 미색을 채택했다.[19]

다. 온라인 홈퍼니싱 시장

코로나 19로 인해 '언택트 소비 문화'가 확산되고 있다. 현대사회는 오프라인 소비보다는 온라인 소비로 옮겨가고 있는 추세인데, 코로나19의 여파로 인해 '집콕족'이 증가하면서 이를

---

[19] 재택근무용 '홈오피스 상품' 각광/건설경제

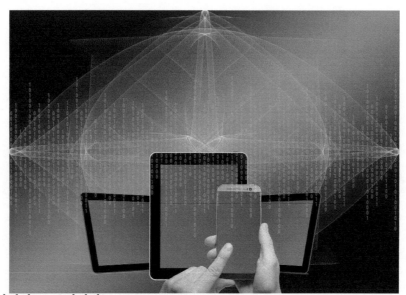

더욱 증폭시켰다고 보여진다.

가구업체들도 입을 모아, 온라인 매장의 매출이 증가하고 있다고 언급했다. 그동안 가구 제품은 통상 매장에서 직접 보고 구매하는 것이 일반적이었다. 그러나 최근 온라인 플랫폼의 발전과 함께 사회적 거리두기로 '집콕족'이 늘면서 인터넷·모바일 구매가 활성화되고 있다는 것이다.

관련 업계에 따르면 종합 홈 인테리어 전문기업 한샘은 2020년도 1분기 오프라인 매출보다 온라인을 통한 매출 확대가 도드라져 전분기 대비 32%나 상승했다고 밝혔다.

이와 같이 온라인 쇼핑몰의 매출이 증가하는 추세에 힘입어 가구업계들도 새로운 마케팅을 접목시키고 있다. 가구업계 관계자는 비대면 쇼핑 트렌드가 확산되면서 온라인을 통한 제품 체험도 강화되는 추세라며 이를 위해 각 업체들은 가상현실(VR)서비스나 3D로 구현된 가상공간 체험서비스 등을 제공하는 등의 온라인 서비스 발전을 꾀하고 있다고 전했다.

이에 따라 한샘은 2020년도 3월 온라인한샘닷컴에서 봄·여름 시즌 한샘리하우스 스타일패키지 신제품 3종에 대한 가상현실(VR) 서비스를 제공하며, 온라인 플랫폼 역량을 강화했다고 덧붙였다.

한샘에서 기획한 '스타일패키지'는 가구부터 건자재까지 하우스 리모델링 공사를 한 번에 해결할 수 있는 상품으로, 고객은 PC나 모바일 기기를 통해 3D로 구현된 가상의 공간에서 현관과 거실, 침실, 주방 등 리모델링 공사를 미리 체험해 볼 수 있는 서비스를 말한다.

현대백화점그룹 계열의 현대리바트도 온라인몰 '리바트몰'을 비롯해 현대H몰, 쿠팡, 네이버 스토어 등 30여개 온라인 커머스를 통해 제품을 선보이며, 온라인몰 확장에 박차를 가하고 있다. 현대리바트의 2020년도 1분기 온라인 사업 매출은 지난해 동기 대비 25% 증가했고, 특히 소파와 책상 등 서재 가구 매출 증가율이 높게 나타난 것으로 알려졌다. 또한 현대리바트는 스마트폰에 최적화된 모바일 쇼핑 앱 '현대리바트'를 새롭게 선보이면서 오프라인과 차별화된 온라인 전용 상품을 함께 판매하고 있다. 또한 신세계 리빙·라이프스타일 브랜드 까사미아는 2020년도 상반기 온라인 홈페이지를 개편한데 이어 하반기에는 온라인 플랫폼을 강화한다는 계획을 밝혔다.[20]

레이디가구를 운영하는 오하임아이엔티 또한 온라인 사업에 박차를 가하고 있다고 전했다. 레이디가구 쇼룸은 제품 체험을 위한 공간으로, 자세한 제품 정보 확인과 구매는 온라인으로 가능하다.

레이디가구는 온라인 브랜드로써 합리적인 가격을 유지하기 위해 쇼룸의 안내 인력을 최소화했고, 대신 QR코드를 각 가구 제품마다 삽입했다. QR코드를 스마트폰으로 인식하면, 해당 제품의 온라인 페이지로 연결돼 제품 설명을 읽고 온라인으로 구매하는 방식이다. 무료 반품 서비스는 현재 레이디가구 전체 제품의 약 10%를 대상으로 실시 중이며, 앞으로 대상 제품을 늘릴 계획이다.[21]

라. 홈퍼니싱 해외 직구

홈퍼니싱에 관한 관심이 높아질수록 소비자의 구매는 국경을 넘나들고 있다. 가전제품, 패션 위주의 직구 시장에서 홈퍼니싱으로 옮겨오고 있다.[22]

---

20) 가구업계, 언택트 소비 확산에 온라인 '각축' 치열/위키리스크한국
21) 온라인몰 강화하는 가구업계…"비대면이 대세"/MTN 머니투데이 방송
22) 출처: http://news.heraldcorp.com/view.php?ud=20160608000211&md=20160611004215_BL

홈퍼니싱 관련 해외직구는 가구나 인테리어 소품뿐만 아니라 벽지까지 다양한 품목을 찾고 있다. 해외 직구를 하는 소비자들은 국내 대비 저렴한 가격, 개성 있는 제품, 셀프 인테리어 용품 등을 구매한다. 국내에 비해 직구를 통해 가격 혜택을 볼 수 있는 제품 중 하나는 매트리스이다. 혼수 시즌이 본격적으로 시작되는 4월의 경우에는 '베드 배스 앤드 비욘드(Bed Bath & Beyond)'의 템퍼 제품이 한국과 비교했을 때 동일 제품을 약 3분의 1 가격에 구입 가능하였다.23) 한국에 진출하지 않는 미국의 라이프스타일 편집매장인 앤트로폴로지나 어반아웃피터스의 제품들이 인기를 끌고 있다. 최근 새집증후군, 아토피 등 환경관련 질환에 대해 사람들의 관심이 증가하면서 친환경 페인트 벽지도 인기 직구 품목이다.

[그림 24] 앤트로폴로지 홈페이지

---

23) 가구부터 벽지까지…직구하라, 홈퍼니싱(2016),
http://news.heraldcorp.com/view.php?ud=20160608000211&md=20160611004215_BL,

Merci

Linge de maison

[그림 25] 메르시 홈페이지

[그림 26] 네스트 홈페이지

앞서 말했던 앤트로폴로지는 홈퍼니싱 해외 직구 족들에게 인기가 높은 라이프스타일 브랜드인데 이외에도 다양한 곳이 인기를 얻고 있다. 앤트로 폴로지의 경우 각종 가구들과 욕실, 월데코, 조명 등 유니크한 아이템들을 판매하며 모던한 디자인보다는 독특하고 개성 있는 디자인의 아이템을 판매하고 있다. 메르시는 프랑스의 라이프스타일 브랜드로 모던함을 기반으로 심플한 디자인 제품을 판매하는데 베딩과 그릇은 메리시의 대표적인 아이템으로 한국 소비자들에게 인기를 끌고 있다. 네스트는 유럽의 유명 디자인 브랜드 가구를 판매하고 있는 브랜드로 프리츠 한센, 루이스 폴센 같은 유명 브랜드의 제품을 직구할 수 있는 사이트이다.

[그림 27] 스칸디나비아 디자인센터 공식 스토어

국내 시장에서는 이런 현상과 맞물려서 해외 직구 판을 키우고 있다. 신세계 쓱닷컴의 경우 국내 소비자들에게 인기 있던 북유럽 대표 생활 용품 전문 브랜드인 스칸디나비안 디자인센터와 손을 잡고 공식 온라인 스토어를 선보였다. 스칸디나비안 디자인센터는 북유럽 생활 라이프스타일 숍으로 브랜드 170여개, 1만 4000여종의 상품을 취급하고 거래국가만 70여개인 전 세계적으로 인기 있는 브랜드이다.

마. 유통업계의 홈퍼니싱 시장 진출

유통 업계	롯데백화점	리빙 상품 브랜드 '엘리든 홈(ELIDEN HOME)'으로 리뉴얼 바이어들이 직매입한 럭셔리 리빙 전문관 운영
	신세계백화점	홈퍼니싱 전문 브랜드 '신세계 홈' 센텀시티점에 국내 최대(9300㎡) 리빙 전문관 구축
	현대백화점	미국 최대 홈퍼니싱 기업 '윌리엄스소노마'와 국내 독점 계약 향후 10년간 포트리반·웨스트엘름 등 최소 30개 이상 매장 개점 [24]

[그림 28] 유통업계의 홈퍼니싱 진출 현황

홈퍼니싱 시장은 꾸준한 성장률을 보이고 있는 상황에서 유통업계들이 홈퍼니싱 시장에 직간 접적으로 앞 다투어 뛰어들고 있다.[25]

롯데 백화점은 해외 직매입 리빙 편집숍 '엘리든 홈'을 강남에 론칭하여 럭셔리 리빙 전문관을 운영하고 있으며 세종시에 리빙용품을 중심으로 한 미니백화점 '엘큐브'를 열어 목표대비 매출 100%를 달성하였다. 또한 이케아와 연합하여 동반 출점하는 형태로 2014년 경기도 광명에 첫 매장을 냈으며 17년에는 롯데아울렛과 이케아 고양점이 한 건물에 들어서는 복합매장의 형태로 매장을 열었다. 롯데 백화점의 홈퍼니싱 관련 매출은 2013년부터 매년 10%이상 증가하고 있다.

한편, 롯데백화점은 2020년도 5월 6일부터 17일까지 홈데코, 가전, 홈 헬스케어 제품을 선보이는 '홈퍼니싱 페어'를 개최했다. 이번 홈퍼니싱 페어는 최근 코로나19 영향으로 오프라인 매출이 많이 어려운 상황에서도 집안 꾸미기와 관련된 가전과 가구의 매출은 꾸준히 상승한 추세를 반영하여 개최되었다.

행사 기간 동안 필립스 소닉케어 전동칫솔은 6만6500원에, 다우닝 파비야 4인 소파는 269만원에, 자코모 투하츠 3인 트렁크 가죽 소파는 228만원에, 디자인 벤처스 스탠다드 4인 식탁세트는 190만5000원에, 바디프랜드 파라오는 495만원에 판매하는 등 리빙 대표 상품은 최대 40% 할인되었으며, 구매 금액의 5~10%를 상품권으로 증정했다.[26]

---

24) 출처 : http://biz.khan.co.kr/khan_art_view.html?artid=201711210600005&code=920501
25) 출처 : http://biz.khan.co.kr/khan_art_view.html?artid=201711210600005&code=920501
26) 롯데백화점, 집 꾸미기 인기에 홈퍼니싱 페어 개최/브릿지경제

신세계백화점은 홈퍼니싱 전문 브랜드 '신세계홈'을 론칭하였으며 부산 센텀시티점에 국내 최대 생활전문관을 열었다. 신세계백화점의 홈퍼니싱 부문 매출은 2015년 9.4%, 2016년 19.9%, 2017년 25.6%으로 계속하여 증가한 것으로 알려졌다.[27] 또한 까사미아를 인수하여 단순한 가구 브랜드가 아닌 '토털 홈 인테리어 브랜드'로 확장시키겠다는 청사진을 내놓았으며 까사미아를 통해 생활용품 시장의 경쟁력을 확보하겠다는 전망으로 보이고 있다.

한편, 신세계 백화점은 2020년도 1월경 가구·소품·침구 등 홈퍼니싱 관련 매출이 전년 동기 대비 6.7% 증가했다고 밝혔다. 이는 코로나19의 여파로 집에 있는 시간이 길어지고, 재택근무가 활성화되면서 '집꾸미기' 열풍이 불고 있기 때문인 것으로 예측된다.

특히 가구 매출은 전년 대비 59.2% 성장했다고 밝혔다. 재택근무가 늘어나며 까사미아의 홈 오피스 가구는 2020년도 3월 한달 간 작년 대비 54% 높은 매출을 기록했다. 신세계백화점의 소품 위주 생활 편집숍인 피숀의 매출도 같은 기간 17.7% 증가했다. 식기류 매출 또한 전년 동기 대비 15% 올랐다고 덧붙였다. 특히 프리미엄 그릇 매출은 무려 44% 뛰었다.

이러한 추세에 힘입어 신세계백화점은 '집콕 기획전'을 개최했다고 밝혔다. 이는 메종 드 신세계에서 개최되며, 기획전에서는 '신혼부부를 위한 거실', '중년부부를 위한 거실', '아이가 있는 집을 위한 거실', '완벽한 휴식을 위한 침실' 등의 4가지 테마를 선보였다고 밝혔다.[28]

현대백화점은 2012년 가장 먼저 홈퍼니싱 시장에 진출하여 '리바트'를 인수하였고 미국 최대 홈퍼니싱 기업 '윌리엄스 소노마와 프랜차이즈 계약을 맺고 윌리엄스 소노마, 포터리반등 브랜드를 선보이고 있다. 현대백화점그룹 측은 그룹이 보유하고 있는 백화점, 아울렛, 온라인 등 다양한 유통 채널을 활용해 윌리엄스 소노마 브랜드 사업을 확대 중이다. 현재 서울과 경기도, 울산, 광주 등에 윌리엄스 소노마 매장 14개를 오픈하였고 현대백화점은 10년간 30개 이상으로 매장을 확대할 계획이다.

한편, 현대백화점은 2020년도 들어서 국내 첫 도심형 접점인 '이케아 플래닝 스튜디오 천호'를 공식 오픈한다는 소식을 전했다. 서울 현대백화점 천호점 9층에 약 506㎡(약 153평) 규모로 선보이는 '이케아 플래닝 스튜디오 천호'에서는 샵 윈도우(Shop window)와 5개의 룸셋, 그리고 1대 1 상담 서비스를 받을 수 있는 플래닝 존 등, 홈퍼니싱 영감과 아이디어 가득한 토탈 솔루션 등을 체험할 수 있다.[29]

---

27) 유통가에 불붙는 '홈퍼니싱' 경쟁 (2018), 주간경향,
http://m.weekly.khan.co.kr/view.html?med_id=weekly&artid=201801291827321&code=114
28) 코로나19에 집 꾸미기 열풍…신세계, 홈퍼니싱 매출 쑥/스카이데일리

바. 셀프 집짓기·홈 스타일리스트

홈퍼니싱을 넘어서 자신의만의 취향을 담아 집을 짓겠다는 사람들도 증가세를 보이고 있다. 집을 짓는다는 것은 자신의 라이프스타일과 취향을 오롯이 담아낼 수 있는 대표적인 일 중 하나라고 할 수 있다. 과거보다 셀프 집짓기가 성장하고 있는 배경에는 홈퍼니싱 시장이 성장하는 것과 같은 선상에 놓여있다.

집을 물리적 공간, 재테크 수단으로 보는 것이 아닌 삶과 휴식의 공간으로 재조명하고 있기 때문이다. 집의 '교환가치'보다는 '사용가치'에 주목하게 되면서 생겨난 흐름이다. 여기에 멈출 줄 모르는 아파트 시장 가격의 상승도 셀프 집짓는 사람들을 확대시키고 있다. 서울 시내 아파트의 평균 매매가격은 7억이 넘어가고 전국적으로도 4억이 넘는 아파트 전세가 상황을 보면 그 비용으로 집을 짓는 게 이득이라는 사람들이 늘어나고 있다.

집짓기에 대한 관심이 높아지면서 관련 책들도 유행이고 집짓기에 실직적인 도움을 주는 서비스로 늘어나고 있다. 주택 건축 컨설팅 회사 '친절한 친환경 디자인 하우스'는 '셀프 헬프 집짓기'라는 온라인 플랫폼을 선보이고 집짓기에 관련해 필요한 모든 정보를 제공하고 유료상담을 진행하고 있다. 매일 경제에서는 교육센터에서 현직 건축사와 시공사 대표에게 나만의 집짓기 노하우를 배울 수 있는 '매경 집짓기 A to Z 과정'을 선보이고 1~2기를 성공적으로 마치고 3기 과정을 개강했을 정도로 인기 있는 교육 과정이다.

홈스타일링 전문 기업 **홈라떼** 입니다.

홈스타일링(Homestyling)이란?
고객의 라이프 스타일과 취향, 니즈에 맞게 시공과 가구, 소품을 제안 드리고 세팅까지 하는 공간디자인/ 토탈 홈디자인 서비스 입니다.

[그림 29] 홈스타일링 전문기업 '홈라떼'

또한 집을 스타일링 해주는 업체들도 생겨나고 있다. 패션 업계에서 자신의 옷과 자신의 스타일을 코디해주는 '스타일리스트'나 '코디네이터'처럼 집 자체를 계절에 따라 날씨에 따라 혹은 기분에 따라 집 안의 요소들을 스타일링 해주는 '홈 스타일리스트'가 생겨나고 있다.

---

29) 도심으로 들어온 이케아…현대백화점 천호점에 이케아 매장 오픈/노컷뉴스

인테리어 디자이너와 홈 스타일리스트의 차이점은 공간 디자인뿐만 아니라 최종적인 스타일링을 고려해서 집을 꾸며준다. 대체로 홈 스타일리스트들은 트렌드에 민감하여 재미있고 독특한 인테리어 아이디어를 집에 적용시켜준다. 홈 스타일리스트들은 고객의 라이프스타일과 취향, 니즈에 따라 조명, 가구, 소품 등을 제안 해주고 그것들을 이용해 집을 꾸며준다. 인테리어와 다르게 공간에 대한 공사를 줄여주고 시간적 장벽이나 혼자서 하는 완성도면의 한계를 줄여주는 역할을 해준다.

사. 홈 리모델링 급증

코로나19의 영향으로 신규 분양은 줄었지만, 주택 매매는 급증한 것으로 알려졌다. 2020년도 1분기 주택 매매 건수는 총 32만5275건으로, 전년 동기(14만5087건) 대비 두 배 이상 늘었다. 또한 집을 새로 고치고, 리모델링하는 수요도 증가했다.

이에 따라 국내 인테리어 브랜드 '한샘'은 2020년도 1분기 매출이 4926억원으로 전년 동기(4425억원) 대비 11.3% 증가했다고 전했다. 한샘의 리모델링 사업 브랜드인 리하우스 패키지 시공 건수도 2020년도 3월, 전년 동월 대비 175% 증가했다고 덧붙였다. 집 전체를 고치는 풀 패키지뿐만 아니라 주방 등 일부만 고치는 부분 패키지까지 합친 시공 건수다. 다양한 형태의 리모델링 수요가 크게 늘어났다. 다만 2020년도 1분기 영업이익은 171억원으로 전년 동기(185억원) 대비 7.6% 감소했다.

이에 따라 증권가는 2020년도 2분기 이후 한샘의 실적 개선 속도가 더욱 빨라질 것으로 내다보고 있다. 저금리 기조에도 불구하고 대출 규제 강화와 경기 불확실성의 확대로 주택 가격이 안정세를 보이면서 인테리어 업체들이 반사이익을 볼 것이라는 전망이다.[30)

---

30) 부동산 안정에 리모델링 급증…'홈 인테리어' 고삐 죄는 한샘/한경비즈니스

3. 해외 홈퍼니싱 시장 분석

3. 해외 홈퍼니싱 시장 분석

가. 미국, 가구 시장 '렌탈시대' 도래

세계적인 가구업체 이케아(IKEA)의 연매출은 40억 달러에 육박하고, 전 세계 38개국에 313개의 대형 매장을 운영하고 있다. 그러나 미국 가구 시장의 점유율은 2%정도 밖에 되지 않는 것으로 전해졌다. 따라서 이케아는 최근 미국에서 'FaaS(Furniture as a Service)' 시장에 뛰어들지를 놓고 고심하고 있다. 이는 요즘 미국 젊은 소비자 층이 '가구 렌탈 서비스'를 많이 이용하기 때문이다. 이미 뉴욕, 샌프란시스코 등에는 가구 공유 서비스인 '페더(Feather)'라는 스타트업 기업이 영업 중이고, 일본 가구 업체인 '카마르크(KAMARQ)'도 미국 시장을 노크하기 시작했다.

이에 따라 이케아는 스위스에서 먼저 렌탈 사업을 테스트한 뒤 미국 시장에 본격 진출하려는 계획을 밝혔으며, 사용하다가 반납된 가구는 재가공해서 다시 판매할 수도 있어서 가구 렌탈 서비스가 제품의 수명주기를 늘리는 긍정적인 효과도 있을 것이라고 덧붙였다.

미국 젊은 소비자층이 이와 같은 '가구 렌탈 서비스'를 이용하려는 이유는, 가구 구매 시 비싼 가격과 형편없는 배달 서비스 때문이다. 렌탈 서비스가 가구를 직접 사는 것보다 반드시 가격이 싼 것은 아니지만, 이사를 자주 다녀야하는 젊은 세대들의 니즈가 반영되어 있기 때문이다.

이 밖에 파티 의상을 대여하는 업체인 '렌트 더 런웨이'는 최근 미국의 유명 홈퍼니싱 업체 '웨스트 엘름(West elm)'과 손잡고 이불, 베개 커버 등 홈굿즈를 정기적으로 교체해주는 서비스를 론칭하기도 했다. 가구 렌탈업체인 페더 역시 '웨스트 엘름'과 공동 사업을 하고 있는 것으로 알려졌다. '웨이페어(Wayfair)'가 온라인 가구 시장을 장악하고 있지만 렌탈 시장은 아직 블루오션이라는 평가가 나온다.

이와 같은 렌탈 시장의 도래에는 미국의 밀레니얼 세대와 Z세대가 그 중심에 있다. 이들은 미국 소비자의 주류로 부상했으며, 소유보다는 사용에 중점을 두는 특징이 있다. 밀레니얼 세대는 1980년대 초반부터 1990년대 중반 출생자를 뜻한다. Z세대는 1990년대 중반 이후 태어난 사람들이다. 블룸버그는 최근 보도에서 22~37세를 밀레니얼, 18~21세를 Z세대로 분류했다. 그 앞은 X세대(38~53세), 베이비부머 세대(54~72세) 등으로 구분했다.

그리고 총 1만1000명을 상대로 설문조사를 실시해 이들이 어떤 경로로 제품 정보를 습득하는지 조사했다. 결과는 예상대로 극명하게 갈렸다. Z세대 가운데 52%가 소셜 미디어에서 제품 정보를 파악한 반면 TV는 16%, 신문이나 잡지는 3%에 그쳤다.

밀레니얼 세대는 소셜 미디어가 42%, TV는 20%였다. 반면 X세대는 TV가 32%로 1위, 소셜 미디어는 26%로 2위였다. 베이비부머 세대는 TV가 43%로 압도적이었고 신문, 잡지라는 응답도 12%에 달했다. 미래의 주력 소비자층인 Z세대는 아이폰이 탄생했을 때 기껏해야 10살 무렵이었다. 이들은 스스로 `디지털 네이티브`라고 칭한다. 주말에 대형 쇼핑몰에 가서 물건을 사던 부모 세대와는 쇼핑 방식 자체가 다를 수밖에 없다.

이에 따라 외신은 미국의 Z세대가 브랜드나 기업에 큰 신경을 쓰지 않는다면서 인종적 다양성, 세계적인 연계, 환경에 대한 인식을 공유한다고 전했다. 또한 밀레니얼과 Z세대가 제품을 선택할 때 환경, 성평등, 인종문제 등 이른바 윤리적 소비에 신경 쓴다고 덧붙였다. 따라서 가구 업계 뿐 아니라, 미국의 많은 기업들이 앞으로도 이러한 젊은 소비자층의 니즈와 소비 성향 등을 파악해 그 트렌드를 따라갈 것으로 예측되고 있다.[31]

나. 일본, 주택리폼시장 활성화

일본 내수 산업 가운데 가장 활기를 띄고 있는 부문은 국내에서 흔히 인테리어·리모델링이라고 부르는 주택 리폼이다.

외신에 따르면 일본은 90년대 말부터 총 주택 수 대비 빈집율이 10%대를 넘기기 시작했다. 2010년 중·후반부터는 연 3%이상으로 급증하기 시작했으며, 2033년에는 빈집율이 전체의 30%를 넘길 것으로 예측되고 있다.

이와 같이 일본에서 현재 빈집율이 증가하는 주된 원인으로는 인구 노령화 및 감소를 들 수 있다. 주택 수 대비, 인구가 줄면서 자연스럽게 공실이 늘게 된 것이다. 또한 특정 지역의 빈집율이 늘게 되면서 일본 도시 전체의 슬럼화 현상이 심화되고 있다. 이 때문에 일본의 슬럼가는 범죄와 질병 등에도 노출될 수 있다.

따라서 일본은 국가전략 사업으로 빈집의 임대주택 전환과 주택리폼을 선정하고 빈집율 해소를 위해 주택 관련 세제 혜택 및 지원 등 다양한 형태로 산업 발전을 돕고 있다. 일본 정부는

---

31) [글로벌 트렌드] 밀레니얼·Z세대가 몰려온다…美가구시장 `렌탈시대` 활짝/매일경제 MBN

소외계층 무주택자들을 대상으로 빈집에 입주, 임대료 일부를 보조하는 정책을 세웠으며, 빈집을 매입할 시 리모델링 및 보유세, 양도세 등을 감면해주는 세제 혜택 지원까지 펼치고 있다.

이에 따라 일본은 현재 빈집과 노후화된 주택을 대상으로 외벽 유지보수, 도배, 인테리어의 변경, 부엌 및 화장실·욕실 등의 설비 교체, 낡은 부분의 수리 및 보강 등의 주택리폼사업을 활발하게 진행하고 있다. 야노경제연구소는 이러한 정부 지원의 영향으로 주택리폼사업이 2020년 72조원에서 2025년에 200조 시장 규모로 성장될 것을 예측했다.

이와 같은 일본 정부 지원과 더불어 부동산, 제조, 유통 등의 일본 기업도 주택 리폼 사업에 관심을 가지면서 일본 주택리폼 내수 시장이 더욱 활기를 띄고 있다. 예를 들어 일본 대표 전자기업 파나소닉은 2015년부터 반도체 기업에서 주택 리폼 사업으로 이미지 변신 중에 있다.[32]

다. 중국의 홍싱메이카이룽

'홍싱메이카이룽(红星美凯龙 / Red Star macalline)'은 중국 최대의 가구 유통 및 판매업체이다. 2019년 기준 중국 전역에 약 300개의 쇼핑몰과 364개의 홈 임프루브먼트 센터를 운영하고 있으며, 이 회사의 사업 분야에는 중국 유수의 가구 회사들에 대한 매장 임대사업 뿐 아니라, 인테리어, 리모델링 상담, 건축공사 등에 대한 서비스 제공, 자체 상품 판매 사업도 포함하고 있다. 홍싱메이카이룽은 다양한 소비자의 니즈를 충족시키기 위해 멀티 브랜드 전략을 시작했으며, '홍싱메이카이룽(Red Star Macalline)'을 중심으로 고급 브랜드 'Red Star Aurelia' 및 'Star Art', 'Jishengweibang'의 브랜드를 환경과 조건에 따라 사용하고 있다.

1986년 작은 가구점에서 시작한 홍싱메이카이룽은 지난 30년 동안 급속도로 성장하여 중국 가구시장의 1위 업체로 자리잡았다. 800개 이상의 중국 고급 브랜드와 400개 이상의 수입 브랜드 라인을 갖추고 있으며, 현재 87개의 자체 운영 쇼핑몰과 250개의 위탁 운영 쇼핑몰, 전략적 제휴를 통한 12개의 홈퍼니싱 관련 쇼핑몰을 운영 중이다. 이에 더하여 가맹사업을 통해 44개 프랜차이즈 주택 건축 자재 프로젝트를 승인했으며, 여기에는 총 428채의 주택 건축 자재 상점 등이 포함된다.

---

32) [기획] 일본 리폼시장, 국내보다 10년 앞섰다/국토일보

이처럼 홍싱메이카이룽은 적극적으로 새로운 소매 경로 및 모델을 탐색하고 온라인 및 오프라인 통합을 달성하며, 원활한 서비스 루프를 구축하고 혁신을 통한 업계의 미래 개발 방향을 계속 추진하고 있다.

홍싱메이카이룽의 주 수익구조는 직영 혹은 위탁운영 쇼핑몰에 국내외 브랜드의 가구업체들을 유치하여 이들을 유통, 운영하는 데서 나온다. 하지만 결과적으로 실제 수익을 살펴보면 주요 전략지역에 위치한 직영쇼핑몰의 부동산 가치 상승으로 가장 큰 수익을 얻고 있다. 외신에 따르면 최근 홍싱메이카이룽은 위탁 운영 쇼핑몰을 적극 확장하고 있는데, 여기에서 나오는 수익은 상표권 수익, 컨설팅 용역비, 브랜드 유치 및 영업비, 관리비 등이 있다고 한다.

쇼핑몰의 외관은 글래스 커튼월을 사용하여 환상적 분위기를 조성하고 있으며, 각종 편의시설, 대형 푸드코트와 무료 주차장을 갖추고 있어 고객들의 쇼핑 편의를 더했다.33)

라. 스위스, 가구 시장 동향

유럽에서 스위스는 그 인구에 비해 넓은 가구 시장을 형성하고 있는 나라로, 가구 정보 조사 전문업체인 월드 퍼니처(World Funiture)에 따르면 스위스는 유럽에서 7번째로 큰 시장 규모를 가지고 있다. 또한 2018년 기준 스위스의 가구 시장규모는 132억 달러로 2023년 155억 달러까지 성장할 것으로 예상된다.

그러나 스위스는 서유럽에 대한 수입 의존이 매우 높은 것으로 알려졌다. 또한 아시아에서의 수입 또한 급속히 증가하고 있다. 스위스 대부분의 가구는 독일과 이탈리아에서 수입된다. 2018년 기준 독일과 이탈리아가 각각 41%와 18%의 점유율을 차지하고 있다. 이 두개 국가가 스위스 가구 시장에서 60%에 육박하는 시장 점유율을 보이고 있는 것이다. 또한 한국 제품의 경우 스위스에서 아직 시장 점유율이 낮은 것으로 알려졌다. 따라서 전문가들은 스위스 내에서 한국 제품의 시장 점유율을 높이기 위해 가격이 높더라도 스위스 소비자들을 사로잡을 수 있는 고급 품질과 디자인을 전략으로 해야 한다고 지적했다.34)

---

33) [BTSC] #6 집꾸미기의 재미: 홈퍼니싱전문점의 성장, 중국의 홍싱메이카이룽/더 도어 The Door
34) [글로벌-Biz 24] 스위스 가구 시장 지속적으로 성장…한국 업체들 CE인증 획득하지 않아 진출에 어려움/글로벌이코노믹

마. 베트남, 도시화에 따라 인테리어 가구 시장 호황

베트남의 인테리어 가구 시장이 호황을 맞고 있다. 이는 베트남의 도시화가 진척되고 있기 때문이다. 현재 베트남의 도시화율은 38%이다. 베트남 도시개발협회장은 베트남의 도시화율에 대하여 2019~2020년까지는 40%에 이르고, 2040년까지 베트남의 인구 절반이 도시에 거주할 것이라고 전망했다.

코트라에 따르면 베트남에서 생산되는 목재 및 목재 가공품은 내수보다 수출의 비중이 더 크다. 그러나 최근 베트남 부동산 시장이 활기를 띠면서, 경제력이 높아진 소비자들의 내수 목재 가구에 대한 관심도가 높아지고 있다. 또한 베트남에서는 주거용 건물 개발 프로젝트가 매년 활발하게 진행 중인데, 이는 베트남의 도시화율 증가, 사회기반시설 투자 가속. 외국·현지 기업의 부동산 개발 투자 등 다양한 요인들이 복합된 것으로 보여진다. 이에 따라 베트남 부동산 시장이 활기를 띠면서 인테리어 가구 시장까지 성장하고 있는 것이다. 베트남 농업개발부는 지난 2017년 기준 약 28억 달러 규모였던 베트남 내 인테리어 가구 소비 규모가 향후 40억 달러 수준으로 성장할 것으로 기대했다.

한편, 이케아가 하노이에 소매유통 창고와 창고 구축을 위해 4억5000만 달러 가량의 투자를 기획하고 있다는 소식도 전해졌다. 이는 베트남이 체결한 국제 무역협정 등의 영향으로 보여지는데, 베트남은 목재 및 목제품의 원산지와 품질을 EU 기준에 따라 관리하고 인증 받도록 하는 협약인 'EU 산림법 이행·관리·거래 관련 자발적동반자협약(FLEGT-VPA)'에 서명한 바 있다. 이외에도 베트남은 캐나다, 일본, 호주 등이 포함된 환태평양경제동반자협정(CPTPP)을 발효했고, 베트남 유럽 FTA 비준을 준비하고 있다. 다만 CPTPP에 의거 해당 협정에 가입한 11개 회원국들 간 목재 가공품 및 목재 가구, 일부의 목재 가공 기계 관세가 단계적으로 인하되거나 철폐될 예정인 것으로 알려졌다.[35]

---

35) 베트남, 도시 거주민 늘어나면서 인테리어 가구 시장 '활짝'/CHUNGHO

바. 베트남 가구 시장의 전망

한국무역협회 호치민지부에 따르면, 베트남 가구 산업은 2020년까지 연평균 9.6% 성장할 것으로 전망된다. 베트남 가구 산업 성장요인으로는 급격한 경제 성장, 저임금 노동력, FTA 등이 있다. 이에 따라 베트남은 경제가 성장하면서 가구 소비량을 포함한 전체 소비량이 증가할 것으로 예상되고 있다.

한편, 최저임금이 최근 몇 년간 지속적으로 인상했지만 베트남의 인건비는 여전히 중국의 절반에 그쳤다. 동시에, FTA 확대는 베트남산 가구의 수출을 촉진할 것으로 보인다. 베트남은 중국, 일본, 한국, 호주, 뉴질랜드, 아세안 국가 등 다수의 주요국들과 FTA를 체결하였고, 2019년 1월 발효된 CPTPP는 캐나다, 멕시코 등 CPTPP 체결국 대상 베트남산 제품의 수출을 장려할 것으로 예상된다.

또한 2019년 6월 유럽연합 정상회의는 베트남과 EVFTA(EU-Vietnam FTA)를 체결하였다.(European Council, 2019) EVFTA가 발효되기 전에 EU의 입법기관인 유럽의회의 비준을 받아야하며 2019년 말에 비준을 받을 수 있을 것으로 보인다.

베트남 가구 산업의 방해요인을 살펴보면 부동산 시장 침체, 수입산 가구의 우세 등이 있다. 2019년 1분기 호치민 내 아파트의 흡수율(absorption rate, 특정 기간 공급된 아파트가 판매된 정도)은 2018년 1분기 대비 52% 하락한 것으로 알려졌다.(Savills, 2019)

따라서 베트남의 부동산 시장 침체가 가구에 대한 수요를 감소시킬 것으로 전망되고 있다. 베트남은 가구 주요 수출국에 해당하지만 디자인과 가격 측면에서 수입산 가구가 베트남 기업의 가구보다 우위를 선점하는 현상이 지속될 것으로 보인다. 현재 이탈리아산 및 독일산 가구는 베트남 프리미엄 가구 시장을 주도하고 있으며 중저가 가구 시장의 경우 중국산, 말레이시아산, 태국산 가구가 대부분의 점유율을 차지하고 있는 것으로 알려졌다.[36)]

---

36) 2019 베트남 가구 산업 현황 및 전망/한국무역협회 호치민지부

4. 홈퍼니싱 주요 브랜드 분석

4. 홈퍼니싱 주요 브랜드 분석

가. 이케아(IKEA)

[그림 33] 이케아 로고

스웨덴에 기반을 둔 이케아는 세계 최대의 홈퍼니싱 업체이다. 한국을 비롯하여 전 세계 약 28개국에 340개 이상의 매장을 보유하고 있다. 이케아는 초대형 매장에서 저렴한 조립식 (DIY) 가구를 판매할 뿐만 아니라 다양한 생활용품 또한 판매하고 있다.

1) 특징 및 전략

2014년에 한국에 진출한 이케아는 홈퍼니싱 시장을 달아오르게 만든 신호탄이 되었다. 이케아의 진출 이후 가구에 대한 인식이 변화하였으며 홈퍼니싱 산업의 변화를 만들어냈다.

이케아의 경영 철학은 "새로운 제품을 만들기 전에 가격표를 먼저 디자인한다."를 내세우고 있다. 대량 생산 방식으로 원가를 낮추고, 가구 배송이나 조립서비스에 드는 비용을 줄여 더 낮은 판매가를 책정하는 방식으로 이루어진다. 이케아는 해외로 진출하기 전에 그 나라에서 판매하고 있는 제품의 가격을 먼저 조사하여 경쟁사 제품 평균가격보다 현저하게 낮은 가격을 책정 후 그 가격에 맞는 재료와 디자인, 납품 업체를 선정하고 제작해 판매하는 방식을 취하고 있다.[37] 트렌디하면서 값싼 가구를 판매하는 전략은 국내에 '가구도 생활용품'이라는 새로운 인식을 불러일으켰다.

---

37) '제품보다 가격을 먼저 디자인한다'(2017), 한국경제매거진, 2017.09.18

[그림 34] 이케아 광명점 내부의 쇼룸

38)

[그림 35] 이케아 광명점 내부의 쇼룸

복합쇼핑문화시설로 이루어진 이케아 매장은 이케아 제품으로만 구성된 쇼룸을 제공하며 다양한 가구와 수백 가지의 생활 인테리어를 제공한다. 다양한 제품을 직접 살피고 체험할 수 있으며 자신만의 기호를 형성하며 쇼핑을 할 수 있는 장점을 보여주고 있다.

이케아의 쇼룸은 여러 다양한 이케아 제품으로 실제 주거 공간을 재현해놓은 65가지 '인테리어'와 특정 제품 그룹을 한곳에 모아놓은 '콤팩트'로 구성되어 있는데 이 중 인테리어는 스칸

---

38) 출처: http://www.thebk.co.kr/news/articleView.html?idxno=171541

디나비안 스타일, 전원 스타일, 모던 스타일, '스웨덴의 젊은 세대' 스타일 등으로 구성되어 있는데 이케아의 정체성을 유지하면서도 각 나라의 특수성을 세밀하게 반영하였다. 이케아는 한국의 80여 가정을 방문하고 1000여 가구의 전화 조사를 통해 한국인의 주거 형태를 가족 구성을 파악하여 쇼룸에 반영하였다.[39]

40)
[그림 36] 이케아 매장 지도

이케아의 매장들은 '일방통행식 동선'을 취하고 있는데 방문객은 일단 매장에 들어서면 진열된 모든 물품을 본 뒤에야 비로소 계산대에 도달할 수 있는데 이러한 일방통행식 동선은 온전히 이케아를 경험하게 해주며 일종의 성취감마저 느끼게 해준다. 이런 이케아의 매장 동선은 충동구매를 유발시키기 위해 미로처럼 매장을 디자인 한 것으로 알려져 있다. 지그재그로 동선을 배치할 경우에 방향을 잃은 소비자들이 충동적으로 구매하도록 전구, 냄비 등을 진열해 계획하지 않은 구매를 유도하는 것이다.[41]

39) 이케아의 매장전략, http://mdesign.designhouse.co.kr/article/article_view/101/69343
40) 출처: http://smartdata.tistory.com/186
41) 이케아 매장, 충동구매 유도하려 미로처럼..쇼핑객들 8시간 머물기도(2011), 민중의 소리 http://www.vop.co.kr/A00000357607.html

[그림 37] 이케아 스몰란드

[그림 38] 이케아 레스토랑 메뉴

또한 이케아 매장에서는 가족단위로 방문한 고객들을 위해서 부모님들이 쇼핑을 원활하게 할 수 있도록 아이들을 위한 '스몰란드'라는 놀이 공간을 제공한다. 이케아의 직원들이 1시간 동안 무료로 돌봐주고 볼풀, 색칠공부, 영화관, 장난감 등이 준비된 공간이다. 쇼룸을 구경한 뒤 피로를 해결해주기 위해서 이케아는 레스토랑을 제공해 피로와 배고픔을 느끼는 고객들에게 만족을 제공한다. 이케아 레스토랑의 메뉴들은 비싸지 않은 가격으로 배고픔을 해결하기 충분하다. '이케아에 가면 꼭 사먹어야 하는 레스토랑 추천메뉴'같은 리스트도 있을 정도로 이케아의 레스토랑 또한 소비자들에게 다른 방식으로 이케아를 체험하게 해주는 것이다.

---

42) 출처: 이케아 홈페이지
43) 출처: 이케아 홈페이지

이렇게 쇼핑뿐만 아니라 놀이와 식사까지 해결하게 해주면서 장시간 쇼핑을 가능하게 하여 매장에서 단순히 제품만을 판매하는 것이 아닌 브랜드를 체험하는 곳이라는 것을 느끼게 해주는 전략을 취하고 있다.

[그림 39] 이케아 Store앱

다양한 제품들이 산재되어있는 이케아 매장의 쇼핑을 쉽고 간단하게 도와주고 쇼핑의 만족도를 향상시키기 위해서 모바일 어플리케이션도 출시하였다. 할인혜택과 이벤트, 쇼핑리스트, 제품 재고 확인, 매장안내 정보 등을 제공한다. 쇼핑리스트는 바코드, QR코드, 제품 번호를 스캔하여 상품 정보를 확인하고 제품을 리스트에 추가해서 구매하려는 제품을 장바구니처럼 모을 수 있게 해준다.

이케아 매장들은 대도시 중심이 아닌 도시 외곽에 위치하고 있는데 넓은 창고형 매장을 활용해 재고 관리를 쉽게 하는 이점과 도심에 사는 소비자들이 한 차례 방문을 통해 필요한 것을 모두 사가도록 유도하기 위해서이다. 그래서 한국 이케아 매장들 대부분도 서울 외곽에 위치해 있는 것이다. 하지만 이렇게 대형 쇼핑몰 위주의 매장 전략을 고집해왔던 이케아는 한국에 맞춰서 다양한 형태의 도심형 매장을 크게 늘릴 예정이며 방문이 어려운 고객을 위해 온라인 판매를 시작하였다.

2) 이케아 효과

　이케아 효과는 하버드대학 마이클 노튼과 듀크대 댄 애리얼리 교수, 툴레인대의 대니얼 모촌에 의해 주장된 경제 심리학 용어이다.[44] 소비자들이 조립형 제품을 구매해 직접 완성시켜 완제품을 구입하는 것 보다 더 높은 만족감을 얻는 것을 뜻하는 용어로 대부분의 가구와 달리 이케아는 소비자 스스로가 매장에 방문해 원하는 제품을 찾고 직접 가져가서 조립하는 형태다. 편리함보다 '불편함'을 제품 판매의 핵심 요소로 삼은 전략이다. 이 점이 고객들의 만족도를 증가 시킬 수 있다는 점을 마케팅에 이용한 것이다.

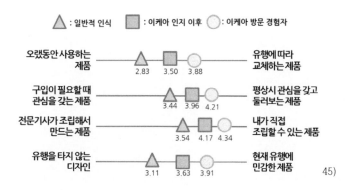

[그림 40] 이케아 이후 가구에 대한 인식변화

　하지만 심리학적인 용어인 이케아 효과말고도 다른 의미의 이케아 효과도 존재한다. 국내 시장에서 이케아 효과 중 하나는 가구를 소모품이라고 인식하게 만든 것이다. '패스트 퍼니처'라고 칭할 수 있는데 과거 한국 소비자들에게 가구는 한번 구입하면 10~20년을 사용해야 한다는 인식이 있었지만 그 인식을 전환시켰으며 가구의 교체 주기를 줄여주면서 다양한 스타일의 가구를 선택하고 소비할 수 있는 기회를 주었다.

　또한 이케아의 진출로 한국에서 홈퍼니싱 시장이 확대되었다. 소비자들의 가구에 대한 관심의 증대와 단순히 가구를 바꾸는 것만이 아니라 침구, 벽지, 인테리어 소품 등으로 집안을 꾸미는 것과 관련된 모든 것을 본격적으로 소비하기 시작하였다. 국내 기업들의 브랜드화와 플랫폼화도 함께 촉진 시켰다. 이케아 진출에 대응해서 국내 홈퍼니싱 대기업들은 대형 매장을 개점하고, 서비스를 강화, 제품 영역을 확대 시키는 등 적극적인 대응 전략을 마련하였고 그 결과 매출과 영업이익이 지속적으로 큰 폭으로 성장하였다.

---

44) 위키백과, 이케아 효과, 재구성
45) 출처: 지식비타민: 이케아 진출 2년, 홈퍼니싱 시장의 변화

하지만 대기업들의 확장 전략은 중소기업의 매출 감소를 초래하였다. 경쟁력 있는 대기업의 중심으로 홈퍼니싱 시장이 형성되다보니 독자적인 브랜드가 없는 업체들의 매출이 줄어드는 결과를 낳은 것이다. 그렇기 때문에 중소기업들은 지방자치단체의 지원을 통해 조합을 결성하여 공동브랜드의 설립 등의 방법을 통해 활로를 모색하고 있다.

3) 홈퍼니싱 서비스

홈퍼니싱 플래닝 서비스

[그림 41] 홈퍼니싱 플래닝 서비스   46)

주방 플래닝 서비스

IKEA 제품으로 실용적이며 아름다운 주방을 만들어보세요.
47)

[그림 42] 주방 플래닝 서비스

이케아는 다양한 홈퍼니싱 서비스를 제공하고 있는데 자신의 집을 꾸미고 싶은 사람들을 위해 마음에 드는 스타일을 찾아보게 하고 각 공간에 맞게 구체화를 시키게 한 후 홈퍼니싱 컨설턴트와 플래너와 상의하여 서비스를 진행하고 있다. 또한 주방과 욕실을 플래닝 서비스를 직접 설치와 전문가의 도움을 받아 진행하는 2가지 방식으로 서비스를 제공하고 있다.

---

46) 출처: 이케아 홈페이지
47) 출처: 이케아 홈페이지

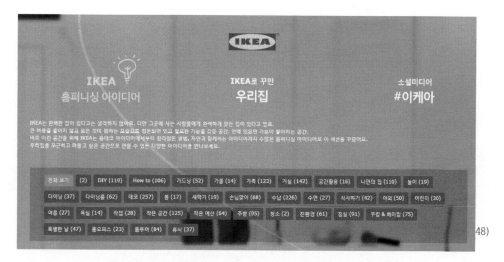

[그림 43] 이케아 홈페이지 홈퍼니싱 아이디어

이케아 온라인 홈페이지에서 홈퍼니싱 아이디어를 제공하고 있다. 다양한 공간과 주제를 제공하고 있으며 다른 사람들이 이케아 제품을 이용하여 어떤 식으로 꾸몄는지도 보여주고 있다.

온라인 플래닝

[그림 44] 온라인 플래닝 서비스 제공

또한 직접 방문하지 못하는 사람들을 위해서 온라인 플래닝 서비스를 제공하고 있다. 방의 특성에 맞는 온라인 플래너를 선택하여 가구를 배치하고 스타일을 바꿀 수 있는 서비스를 보여준다.

---

48) 출처: 이케아 홈페이지
49) 출처: 이케아 홈페이지

4) 최근 이슈

가) 이케아 포 비즈니스

이케아 코리아는 2020년도 5월경부터 '이케아 포 비즈니스' 서비스를 시작한다고 밝혔다. 이는 소상공인에 특화된 서비스로, 이 서비스를 이용하는 개인 사업자 고객에게 전자세금계산서 발행, 계좌이체 등을 제공하는 기업 간 거래(B2B) 방식을 일컫는다.

'이케아 포 비즈니스'는 소상공인에 특화된 서비스를 제공하며 중소·중견기업 중심으로 사무용 가구를 공급하는 사무가구업체들과 차별화를 두었다. 사무실, 레스토랑, 카페, 교육시설, 의료시설, 개인 상점 등 소규모 상업공간을 운영하는 소상공인이 대상이며, 상대적으로 저렴한 비용으로 이들 공간에 어떤 가구를 들일 것인지 등을 상담해주는 맞춤형 플래닝과 사무용 가구 솔루션을 제공하는 서비스이다.

또한 이케아는 1만여 개의 가정용 가구 제품 가운데 비즈니스 용도에 맞는 250여 개 제품을 선별하였으며 리셉션, 프런트데스크 등 공용 공간과 업무, 미팅, 협업 등을 위한 사무공간에 적합한 오피스 전용 제품을 제안할 예정이라고 밝혔다.[50]

나) 이케아 플래닝 스튜디오 천호

이케아 코리아는 서울에 첫 '도심형 매장'을 선보일 계획을 밝히며, 서울 현대백화점 천호점에 '이케아 플래닝 스튜디오 천호'를 연다는 소식을 전했다. 이때까지 대형 단일 매장으로 국내에 진출한 이케아코리아가 새로운 변화를 꾀하는 것이다.

'이케아 플래닝 스튜디오 천호점'은 현대백화점 9층에 약 506㎡ 규모로, 먼저 문을 연 동부산점(약 4만2,316㎡)과 비교하면 8분의 1크기다. 이케아의 국내 매장은 2015년 광명점을 시작으로 고양점, 기흥점, 동부산점 등 4개다. 모두 도심 외곽에 위치한 복층 단일매장이었다.

이케아 '천호점'은 침실, 키즈룸 등 기존 매장의 기본적인 쇼룸으로 구성됐고 인테리어 상담 서비스를 제공한다. 이케아는 앞으로 다양한 형태의 도심형 매장을 확대할 계획이라고 덧붙였다.

---

50) "사무실 꾸며드려요"…이케아, B2B 가구시장 진출/한국경제

프레드릭 요한손 대표 이케아코리아 대표는 '이케아 플래닝 스튜디오 천호점'이 첫 번째 도심형 접점이 되었다며, 앞으로 더 많은 한국 고객들이 이케아를 편리하게 만날 수 있도록 하겠다고 전했다.[51]

다) 가든파이브 입점 계약 체결

이케아코리아는 수도권 동남권의 대형유통단지 가든파이브에 도심형 매장 입점을 고려 중이라고 밝혔다. 이케아코리아는 앞서 현대백화점 천호에 '이케아 플래닝 스튜디오 천호점'을 개설하여 첫 '도심형 매장'을 만들어냈다. 이케아는 기존 이케아 매장이 교외 지역에 있어 접근성이 떨어지는 한계를 보완하고 국내 리빙 시장의 성장세에 대응하기 위해 도심 속 소규모 매장 확대에 집중한다고 밝힌 바 있다.

이를 이어, 이케아코리아는 2020년 5월경, 서울주택공사(SH) 등과 함께 가든파이드 툴관의 지상 1층 판매시설 147개 호실 중 139개호실에 대한 일괄임대 추진 관련 업무협약(MOU)를 체결했다고 밝혔다.

서울시 송파구에 위치한 가든파이브는 복합 쇼핑 문화 공간이며, 쇼핑몰 '가든파이브 라이프', 사무 공간 및 아파트형 공장 '가든파이브 웍스', 산업용재상가 '가든파이브 툴' 등 3개 관으로 구성돼 있다. 이케아는 이 중 '가든파이브 툴관'에 입점을 고려 중이라고 전했다.

이와 같은 수도권 동남부의 대규모 유통단지 가든파이브 입점도 '도심형 매장확대'의 연장선상으로 보인다. 이케아 코리아 관계자는 아직까지는 업무협약만 체결한 단계이지만, 가든파이브는 이케아가 도심형 매장 확장을 위해 고려하고 있는 곳 중 하나라고 설명했다.[52]

---

51) 서울에 '미니 이케아' 뜬다/서울경제
52) '가구공룡' 이케아, 가든파이브에 도심형 매장 여나/조선비즈

나. 한샘

[그림 45] 한샘 로고

　부엌가구 전문회사로 출범하여 현재 가정용 가구를 주축으로 다양한 홈퍼니싱 제품을 판매 중이다. 이케아의 국내 진출로 인하여 타격을 받을 것이라고 우려되었지만 이케아와 다른 차별화 된 전략을 취하면서 국내 시장 1위를 달리고 있다.

　주방, 욕실, 어린이, 리빙 가구 등 직접 디자인 개발한 제품으로 차별화를 꾀하며 매년 신제품을 개발하고 있다. 한국인의 라이프스타일을 반영한 실용적 제품들을 판매하는 플래그숍·대리점·온라인쇼핑몰 등을 운영 중이다.

53)

[그림 46] 한샘 매출 현황

　한샘은 2013년부터 급성장하여 그해 매출이 29%나 늘면서 업계 최초로 '1조 클럽'의 반열에 올랐다. 홈퍼니싱 관련 제품의 매출이 꾸준히 늘면서 2017년 기준으로 '매출 2조원 클럽'의 가입을 눈앞에 두고 있다.

---

53) 출처: http://news.bizwatch.co.kr/article/consumer/2018/02/05/0025

한샘은 실제로 2017년 매출액이 2조원에 달성하는 기록을 썼지만, 이듬해 부동산 경기 둔화 등 요인으로 매출액이 1조 9285억원에 머물렀다. 한샘은 올해 토털 리모델링 서비스인 '리하우스' 사업의 본격적인 성장세를 바탕으로 실적을 끌어올리겠다는 전략을 세웠다. 다만 주택 매매거래량 감소로 인테리어 수요를 장담할 수 없는 가운데, 대리점 확대와 중국 투자 유치 등으로 하반기 실적 드라이브를 걸어야 한다는 의견이 나왔다.[54]

2020년 현재 한샘은 국내 시장 10조 매출, 홈 인테리어 시장 점유율 30% 달성, 전략획실 강화를 통한 10조 경영 시스템 구축을 목표로 삼고 있다.[55] '홈인테리어 시장에서 점유율 30%를 달성하면 세계 시장에 도전하는 과정에서 안정적이고 확고한 기반을 제공할 것'이라고 밝혔다.

1) 특징 및 전략

이케아의 진출에도 불구하고 계속해서 성장을 하고 있는 이유는 이케아와는 다른 소비자층을 타깃으로 하였기 때문이다. 신혼부부와 DIY조립에 익숙하지 않은 중년층 타깃으로 해서 무료 배송 및 조립서비스 강화하였고 조금 더 비싸지만 오래 쓸 수 있는 가구를 공급하는 전략을 택하였다.[56]

매장들도 이케아와 다르게 도심에 내어 소비자들의 접근성을 높이면서도 최대한 대형화를 취하였다. 서울의 잠실, 목동, 대구의 범어동과 같은 경제 수준이 높은 지역을 중심으로 대형 플래그숍을 운영하면서 해외 명품 브랜드 가구를 전시하는 방식을 택해 고급화되고 차별화 된 전략을 취하였다.

54) https://www.edaily.co.kr/news/read?newsId=01794166622588632&mediaCodeNo=257
    이데일리
55) http://biz.newdaily.co.kr/site/data/html/2020/01/21/2020012100088.html 뉴데일리
56) 경기연구원 이케아 보고서

57)

[그림 47] 한샘 디자인 파크

한샘은 서울 용산 아이파크몰에 '한샘 디자인파크'을 열어 실제 아파트 평면을 본뜬 모델하우스를 만들어 한샘이 정한 콘셉트별로 인테리어를 제공하였다. 다양한 공간을 둘러보면서 홈퍼니싱 계획을 세우면, 매장에 상주하는 전문가들의 상담을 받아 각종 조언을 받을 수 있는 전략을 취하였다. 생활용품 공간에는 키친웨어·패브릭·수납용품·조명 등 1천여 종의 생활용품을 판매하여 홈퍼니싱의 처음부터 끝까지 포괄하는 방식을 취하고 있다.

한샘은 오프라인 매장의 접근성을 높여서 '전시 공간'을 활용하고 온라인 구매를 유도한 전략도 동시에 펼치고 있다. 업계에서 처음으로 젊은 층을 겨냥한 가상현실 서비스를 도입하였으며 홈페이지를 보고 가구를 직접 조립할 수 있도록 '동영상 서비스'도 시작하였다. 또한 온라인몰인 '한샘 몰'을 통해 어린 자녀를 둔 3040세대와 1인 가구를 타깃으로 하여 다양한 기획전과 가격행사를 하면서 오프라인과 별도의 온라인, 모바일 전용 서비스센터를 운영해 한샘몰을 '인테리어 전문포털'로 키울 계획이다.

2) 홈퍼니싱 서비스

한샘은 홈퍼니싱 서비스 중 하나는 '스페이스 코디네이터'이다. 직영 매장에서 방문객을 응대하는 직원이지만 단순히 가격과 제품 정보만을 제공한 것이 아닌 공간별 인테리어 콘셉트에 맞춰 가구와 패키지 상품을 제안하는 방식을 취하고 있다.58) 또한 종합전시장에선 인테리어 코디네이터(IC), 키친 디자이너(KD), 리하우스 디자이너(RD) 등 분야별 공간설계 전문가가 고객들의 취향을 반영해 맞춤형 상담서비스를 제공하여 차별화된 인테리어 상담서비스를 제공하

---

57) 출처: http://m.interior.hanssem.com/shop/shopView.do?idx=198
58) '홈퍼니싱'족 늘자… 가구회사가 '공간'을 팔기 시작했다(2017), 국민일보,
http://news.kmib.co.kr/article/view.asp?arcid=0923780777&code=11151400&cp=nv

고 있다.

STEP.01
한샘 강북구청점 매장 방문하기

심플하고 모던한 집을
꾸미고 싶나요?

한샘 공간전문가의
전문 인테리어 상담을 받아보세요.

STEP.02
우리 집 도면 불러오기

소파를 배치할 우리 집 거실 사이즈를
정확히 알고 싶나요?

한샘 홈플래너에 저장된 약 45,000여
가구의 아파트 3D도면을 통해 정확한
공간 정보를 제공해드립니다.

STEP.03
벽지, 마루 고르기

내가 고른 가구와 어울리는
벽지 색상이 고민인가요?

벽지부터 마루, 창문, 도어 등을 배치해
인테리어 공사를 미리 체험해보세요.

STEP.04
마음에 드는 한샘가구 배치하기

침대는 창가에 붙일지, 가로로 놓을지
고민되시나요?

3D 상담 설계 시스템을 통해 우리 집에
한샘가구를 미리 배치해보세요.

STEP.05
상상만 하던 우리 집 미리보기

상상 속 우리 집을
미리 가상 체험하세요.

3D 렌더링 이미지로 사진 추정
우리 집 인테리어와 공간을 미리
확인할 수 있습니다.

STEP.06
원스탑 견적 확인하기

한샘으로 꾸민 우리 집의 견적이
궁금하시다면?

상담 및 견적을 동시에 그리고
정확하고 신속하게 확인해드립니다.

[그림 48] 한샘 홈플래너

다른 홈퍼니싱 서비스 중 하나는 '홈플래너'인데 한샘에서 자체 개발해서 활용하고 있는 프로그램이다. 전국 4만5000여 개의 3D 아파트 도면을 확보하여 데이터베이스를 불러내서 구입하려는 가구가 공간 크기에 맞는지 공간과는 어울리는지 시뮬레이션화해서 집 전체의 어울림을 미리 확인할 수 있는 서비스를 제공한다. 홈플래너를 통해 시행착오를 줄이고 가구배치가 끝나는 즉시 견적을 확인하는 방식을 통해 소비자들에게 편의를 제공한다.

---

59) 출처: https://m.blog.naver.com/hanssem_mia/221237858508

[그림 49] 한샘 몰 홈페이지

온라인 '한샘 몰'에서는 매거진을 통해 각 공간의 추천 상품과 공간 배치, 인테리어 팁 등을 제공하고 있다.

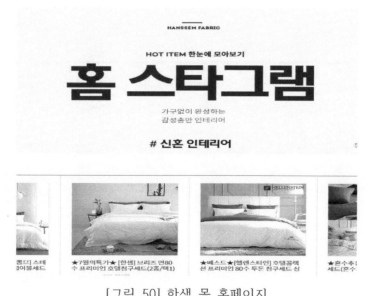

[그림 50] 한샘 몰 홈페이지

또한 오프라인과는 다양한 기획전을 통해 기획전에 맞춘 홈퍼니싱 제품을 추천하여 소비자들이 다양한 제품을 접할 수 있도록 하고 있다.

3) 최근이슈

가) 한샘, 온라인 플랫폼 강화

국내 대표 가구업체 한샘, 현대리바트 등이 이케아와는 다른 전략을 구사하고 있다. 앞서 살펴본 이케아는 '도심형 매장의 확대'라는 슬로건을 걸고 오프라인 매장 확대에 주력을 다하고 있었다. 그러나 국내 대표 가구 브랜드들은 코로나19의 여파로 '언택트 사회'가 더욱 심화된 것을 참고하여 온라인 플랫폼 강화에 집중하고 있는 것으로 알려졌다.

한샘은 코로나19가 본격 시작된 2020년도 2월부터 4월까지 매출이 전년 동기 대비 약 20% 늘었다고 밝혔다. 이에 한샘닷컴을 통해 온·오프라인 연결에 나서고 있다. 온라인에서 평형대와 스타일별로 다양한 공간 패키지 콘텐츠를 제공하며, 공사 후 모습을 가상으로 보여주는 가상현실(VR) 모델하우스도 마련했다. 이를 토대로 온라인에서 선택하면 최적의 오프라인 매장을 배정한다. 이와 같이 한샘은 한샘몰을 종합 온라인 쇼핑몰로 확대해나간다는 방침을 전했다. 또한 한샘몰을 통한 소상공인 입점 업체를 오는 2023년까지 700개 이상으로 늘릴 계획이라고 덧붙였다.[60]

이와 같이 이케아와 한샘, 현대리바트의 국내 대표적인 홈퍼니싱 브랜드들의 상반된 마케팅 전략이 어떠한 결과를 가져올지 귀추가 주목된다.

나) 한샘, 리모델링에 친환경 자재 사용

한샘이 가구 공급에 있어, 친환경 자재 사용을 '리모델링 패키지'에도 확대 적용한다고 밝혔다. 한샘은 그동안 친환경자재 등급에 있어, 현재 국내 권고와 법 기준인 E1 수준을 넘어 E0 등급을 충족하는 자재로 가구 공급을 해왔다. 친환경자재 등급은 포름알데히드 방출량에 따라 비친환경적인 E2등급부터 E1, E0, SE0 친환경 자재일수록 높아진다.

한편, 한샘은 리모델링 브랜드 '리하우스'의 패키지에 사용하는 모든 자재의 유해성을 관리해 공급하겠다고 밝혔다. 따라서 가구 자재에 적용하는 E0(포름알데히드 방출량 0.3~0.5mg), HB 마크(건축 자재의 화학물질 방출 강도 인증), 한샘 자체 검증 등 환경안전 관련 기준을 리모델링에 사용하는 모든 자재로 확대할 방침이다.

---

60) 온라인 힘주는 한샘·현대리바트, 오프라인 확대 이케아…'상반된 전략' 눈길/아주경제

이번 친환경자재가 적용되는 자재는 목재, 도배풀, 벽지, 바닥재, 실란트, 접착제 등 리모델링 현장에서 사용되는 자재와 마감재 전체이며, 이같이 관리한 자재들을 현재 수도권 지역 대리점 70%에 공급 중이며 연내 전국 대리점으로 확대할 계획이라고 전했다.

한샘 측은 직접 검증하고 구매, 물류, 배송 등 관리와 공급 전반을 지원한다면서, 직접 검증한 11개 제품군, 42개 환경친화적 기본공사자재들을 구매, 물류, 배송 및 시공한 현장에서 실내공기질을 측정한 결과 시행 전에 비해 실내 유해물질이 29% 가량 개선된 것으로 나타났다고 덧붙였다.[61]

다) 한샘, O4O(Online for Offline) 플랫폼 연결

한샘이 자사 홈페이지 '한샘닷컴'에 O4O(Online for Offline) 플랫폼을 연결해 전국 700여개의 한샘 오프라인 매장과 소통하고, 누적 상담신청 5만건에 돌파했다는 소식을 전했다. O4O(Online for Offline) 플랫폼은 최근 코로나19로 타인과의 접촉을 최소화하는 비대면, '언택트(untact)' 소비 트렌드가 확산되면서, 차세대 비즈니스 모델로 주목받고 있다.

이는 단순히 온라인에서 오프라인 매장을 소개하는 것에 그치는 것이 아니라, 온라인에서 확보한 고객 데이터를 오프라인 활동에 결합 및 활용하고 있기 때문이다. 한샘은 O4O 플랫폼이 매장 방문을 최소화해 고객들이 줄을 설 필요가 없게 하여, 오프라인 영업 활성화에 큰 역할을 하고 있다고 전했다.

한샘은 2019년 3월 자사 홈페이지 '한샘닷컴'을 O4O 플랫폼으로 개편하고, '온라인 VR(Virtual Reality, 가상현실) 모델하우스' 서비스를 실시했다. 홈페이지에 방문한 고객은 평형대와 스타일별로 분류된 다양한 공간 패키지 컨텐츠를 만나볼 수 있으며, 리모델링 공사 후 모습을 가상으로 체험해 볼 수 있다.

또한 온라인에서 관심 있는 공간 패키지를 고른 후 상담신청을 하면 최적의 오프라인 매장을 배정받을 수 있다. 부엌 패키지를 신청하면 가까운 부엌 전문매장으로 연결되고 집 전체공사 패키지를 선택하면 리모델링 전문 매장으로 연결되는 식이다. 연결된 대리점 입장에서는 자체 온라인 마케팅 활동 없이 구매의사가 있는 고객들을 쉽게 유치 할 수 있어 본사와 대리점 상생 정책으로 좋은 반응을 보이고 있다.

---

61) 한샘, 리모델링에 환경친화적 자재 적용/여성신문

한샘은 2019년 3월 한샘닷컴 상담신청 서비스를 도입한 이후 2020년 5월 누적 5만건을 돌파했다. 더불어, 한샘은 대리점 연계 플랫폼으로 자사 온라인몰 '한샘몰'에 대리점 전용 제품을 게시해 대리점 판매를 돕거나 IPTV 쇼핑방송을 활용하는 등 대리점과 상생을 위한 다방면의 노력을 기울이고 있다.[62]

다. 리바트

[그림 51] 리바트 로고

통상적으로 홈퍼니싱 제품들은 구매가 쉬운 저가격대로 구성되어 있지만 현대리바트는 이 영역에서 프리미엄 이미지를 구축하는 것 주력으로 하고 있다. 다른 업체들과 달리 판매가를 높게 잡아 차별화된 콘셉트 구현을 하고자 한다.

"현대리바트, 2020년 영업이익 370억원 거둘 것"

현대리바트의 2020년도 매출이 상승세라는 소식이 전해졌다. 빌트인 가구 점유율과 주방용 가구 매출이 늘어날 것으로 전망됐기 때문이다. 현대리바트는 2020년 1분기 연결기준 매출 3694억 원, 영업이익 148억 원을 거둔 것으로 알려졌다. 2019년 같은 기간과 비교해 매출은 18.7%, 영업이익은 50.4% 늘어난 것이다.

이는 인테리어 가구산업이 호황을 누렸고 빌트인 가구부문에서도 매출이 늘어난 점이 실적 호조의 이유로 분석됐다. 관련업계 전문가는 현대리바트의 2분기 실적도 긍정적 추세를 이어갈 것이라고 전망했다. 또한 빌트인 가구 수익성이 개선된 데 따라 이익 기여도가 높아질 수 있고, 2019년 개점한 직영점 수익 개선도 지속될 것이라고 덧붙였다.

---

62) 한샘, O4O 플랫폼 '한샘닷컴' 대리점과 상생 역할/패션비즈

따라서 현대리바트는 2020년 연결기준 매출 1조3150억 원, 영업이익 370억 원을 거둘 것으로 전망되고 있다. 이는 2019년 실적과 비교해 매출은 6.2%, 영업이익은 54.1% 늘어난 수치다.[63]

1) 특징 및 전략

현대리바트는 중저가 위주로 형성된 국내 라이프스타일 시장에서 프리미엄 홈퍼니싱 브랜드로서 차별화된 상품을 판매하고 있다.

서울 논현동의 리바트 스타일샵 논현전시장도 `윌리엄스 소노마 플래그십 스토어`로 리뉴얼하였는데 단독매장의 형태로 운영하는 해외와는 달리 리바트와 윌리엄스 소노마 제품을 한자리에서 볼 수 있는 공간이라는 차별화 전략을 택하였다. 또한 현대백화점과 현대아울렛에 리바트 스타일샵 26개 매장을 신규 오픈하는 등 전국에 총 170개의 영업망을 구축하며 다양한 브랜드를 세분화해 홈퍼니싱 시장의 전문성을 높이고 있다.

[그림 52] 용산 리바트 아이파크 전시장

용산 아이파크몰 전시장을 열어 리바트의 홈퍼니싱 관련된 모든 상품을 한 곳에서 만날 수 있는 국내 최고 수준의 홈 퍼니싱샵으로 운영할 방침이다. 리바트(가구), 스타일샵(생활용품), 리바트 키친(주방가구), 앤슬립(매트리스), 홈스타일(홈 인테리어) 등 상품군별로 '숍인숍' 형태로 전시장을 운영하며 제품 라인업을 저가부터 고가까지 폭넓게 구성하고 있다.

---

63) 현대리바트 주식 매수의견 유지, "빌트인 가구에 집중해 성과 거둬"/비즈니스 포스트
64) 출처: 리바트 홈페이지

[그림 53] 리바트 스마트 하우스 ⁶⁵⁾

전시장에서는 실제 아파트를 전시해서 현관부터 거실, 부엌, 방으로 구성된 스마트 하우스에 리바트 가구, 소품, 부엌 가루로 디스플레이하여 인테리어 팁을 주고 있다.

[그림 54] WSI 플래그십 스토어 광주점 ⁶⁶⁾

다양한 지역에 윌리엄스 소노마 플래그십을 운영해서 각각 세대의 소비자층을 공략하고 있다. 윌리엄스 소노마와 같은 경우는 주방 홈퍼니싱 제품을 판매하며 단순히 물건만을 판매하는 것이 아닌, 음식과 집에 관한 영감을 제공하는 공간을 보여준다. 프리미엄 가구 및 생활용품 브랜드 '포터리반(Pottery Barn)'은 40~50대를 주요 고객층으로 삼아, 견고하면서도 안정감 있는 가구를 찾는 사람들을 타깃으로 삼았다. 또한 작은 집에 어울리는 트렌디한 가구와 소품으로 1인 가구와 신혼부부를 주요 소비자층으로 공략한 웨스트 엘름도 윌리엄스 소노마

---

65) 출처: 리바트 홈페이지
66) 출처: 리바트 홈페이지

플래그십 매장에서 전시하고 있다.

여름 인테리어 팁
2018-07-06

어느덧 여름의 한 가운데. 물기 가득 머금은 장마를 견디고 있어요. 벌써 여름나기가 고민되신다면 장마가 끝나기 전 실내 인테리어를 조금 더 시원하고 뽀송한 느낌으로 바꿔보세요. 습기에 강하며 시원한 촉각을 느낄 수 있는 소재로 선택하고, 컬러는 청량한 느낌이 드는 블루 & 화이트를 함께 사용해보세요. 또 하나! 요즘 핫한 플랜테리어로 싱그러운 느낌까지 더한다면 실내온도를 1도 정도 낮출 수 있으실 거에요!

당신이 원하는 곳, 어디든 MUF
2018-05-31

밋밋한 분위기에 세련된 포인트가 되는 멀티 우징 퍼니쳐. 리빙, 다이닝, 침실, 드레스룸, 서재 등 주변엔 다양한 성격의 공간들이 있어요. 혹시 부분 부분이 모두 다른 분위기를 가져 복잡한 인테리어가 되진 않으셨나요? 집 안 전체에 통일감을 주면서도 과하지 않은 개성을 가진 디자인이 있습니다. 기본에 충실하여 어느 곳에도 다 어울리는 MUF를 소개합니다.

연령별 공부방 인테리어
2018-04-20

아이들이 조금씩 자라고 학년이 바뀔 때마다 배치나 구성, 분위기가 달라져야하는 공부방. 학습 공간에 대한 어머니들의 고민은 아이의 학업 성취도에 대한 관심과 그 크기를 같이하는 것 같아요. 연령대별 공부방 인테리어 아이디어! 아이 공부방 인테리어 할 때 참고해보세요~

[그림 55] 온라인 홈페이지 리바트 몰 인테리어 아이디어

1

시원하고 차가운 느낌의 소재

여름이면 떠오르는 소재인 라탄!
구멍이 송송 뚫려있어 보기만 해도 시원함이 느껴져요. 통풍이 잘되어 여름 소재로 많이 사용합니다. 라탄 소재로 꾸민 공간은 휴양지에 와 있는 듯한 분위기를 낼 수 있어요. 꼭 라탄 가구만이 아니여도 테이블 매트나 컵 홀더, 주방 조명 등 라탄 소재 소품을 두면 자그마한 포인트로도 충분히 라탄의 감성을 느끼실 수 있어요. 시원하고 차가운 느낌의 소재의 대표적인 건 대리석과 스틸 이랍니다. 화이트 컬러의 대리석 식탁은 시원하면서도 고급스러운 분위기를 연출할 수 있어요. 대리석 소재의 코스터나 대리석 모티브의 시계 등으로 포인트를 만들어 보세요. 혹시 원목 가구를 고르시고 계신다면 가구 프레임이나 다리 부분이 스틸로 된 믹스매치 된 아이템을 눈여겨 봐 주세요.

[그림 56] 온라인 홈페이지 리바트 몰 인테리어 팁

오프라인 매장에서 인지도를 제고하고 각 브랜드의 전문성을 높이고 있다면 온라인 리바트 몰에서는 다양한 인테리어 아이디어 팁과 상품정보를 제공하여 리바트 제품에 관한 관심도를 높여주고 있다.

2) 최근이슈

가) 현대리바트, 온라인 매출 껑충

현대리바트의 온라인 사업 매출이 높은 성장세를 기록하고 있다는 소식이 전해졌다. 현대리바트의 2020년도 1·4분기 온라인 사업 매출규모가 지난해 같은 기간보다 25% 증가한 것이다. 이는 비대면(언택트) 쇼핑 트렌드 확산과 유통망 확대 등의 선제적인 사업 강화 노력이 성과를 내고 있는 것으로 풀이된다.

현대리바트 관계자는 이에 대하여 2020년도 1월부터 온라인 사이트에서 운영 중인 '현대리바트관' 접속자가 빠르게 늘어나며, 전체 온라인 매출이 증가했다고 전했다. 또한 2019년 현대리바트의 온라인 사업 매출은 1200억원이었는데, 2020년도에는 온라인 사업 매출 목표 1500억원을 달성할 수 있을 것이라고 전망했다.

현대리바트는 현재 자체 온라인몰인 '리바트몰'을 비롯해 현대H몰, 쿠팡, 네이버 스토어 등 30여 개의 온라인 커머스를 통해 가구 및 홈퍼니싱 제품을 판매하고 있으며, 제품별로는 소파가 전년 동기에 비해 44%나 판매가 증가했고 책상 및 책장 등 서재가구 판매 증가율은 43%에 달했다.[67]

나) 초대형 '리바트스타일샵' 전시장

현대리바트가 경기도 용인에 초대형 '리바트스타일샵' 전시장을 선보인다는 소식을 전했다. 이는 경기도 용인시 고매동에 들어서는 복합쇼핑몰 '리빙파워센터' 내부에 '리바트스타일샵 기흥 전시장'이 자리잡는 것이다. 복합쇼핑몰 '리빙파워센터' 지하2층(홈&리빙관)에 들어서는 리바트스타일샵 기흥 전시장은 영업면적 3636㎡(약 1100평) 규모로 일반 리바트스타일샵 전시장 보다 약 2배 가량 크다고 알려졌다.

한편, 현대리바트의 브랜드 '리바트'와 '리바트 키친', 미국 홈퍼니싱 브랜드 윌리엄스 소노마

---

67) 현대리바트 온라인 사업 매출 25% 뛰어/파이낸셜 뉴스 20th

의 브랜드 '포터리반 키즈'와 '웨스트 엘름' 등의 침대, 소파, 책상, 식탁 등 1200여 종의 가구 및 주방 소품이 전시 및 판매될 예정이다.

기흥 전시장은 '고객 체험'을 주제로 4가지 콘셉트 공간으로 꾸며질 예정인데, 매장 입구에 소파와 태블릿PC 등을 비치한 ▲'포:레스트(For:Rest)존', 다양한 평형대(10~30평)의 모델 하우스와 반려동물 가구 등 고객의 생활방식에 맞춘 ▲'라이프 스타일(Life style)존', 다양한 문화 콘텐츠의 고객 체험형 공간인 ▲'에이치라운지(H.Lounge)', 고객이 직접 티 테이블 및 인테리어 장식 등 DIY(Do It Yourself) 가구를 만들어 볼 수 있는 ▲'에이치아뜰리에(H.Atelier)'가 이에 해당한다.

현대리바트 관계자는 리바트스타일샵 기흥 전시장이 들어서는 용인 기흥구는 교통 접근성뿐 아니라 소비력 높은 30~40대를 중심으로 상권 규모가 점점 확대되고 있는 추세라며, 현대리바트만의 차별화된 제품과 콘텐츠를 앞세워 경기 남부권시장을 공략하는 데 더욱 속도를 낼 것이라고 전했다.[68]

---

68) 현대리바트, 용인에 초대형 리바트스타일샵 전시장 열어/비즈니스 포스트

라. 자주

JAJU

[그림 57] 자주 로고

자주는 신세계 인터내셔널에서 운영하는 홈퍼니싱 브랜드이다. 2000년 이마트 해운대점에서 '자연주의'라는 이름으로 시작돼 이마트 내 숍인숍(Shop in Shop)의 형태로 운영되다가 2010년 신세계 인터내셔널이 인수하였다. 그 후 브랜드를 전면 리뉴얼하여 2012년에 '자주'로 브랜드를 재론칭하여 한국인의 생활 방식을 살린 라이프스타일 숍으로 콘셉트하고 있다.

1) 특징 및 전략

자주는 '한국형 라이브스타일 브랜드'를 콘셉트로 하고 이마트를 통해서 국산 홈퍼니싱 브랜드 중 특히 접근성이 높은 브랜드가 되었다. 의류부터 주방용품, 가구, 인테리어 소품 등 많은 제품들을 선보이고 있다. 자주는 상품 기획 단계뿐만 아니라 온라인 스토어 판매도 한국인의 생활방식이 녹아든 스토리텔링형 온라인 몰을 선보이고 있다.

[그림 58] 자주 홈페이지

제품 나열식으로 페이지를 구성하는 쇼핑몰들과 다르게 '욕실 비상대책 위원회', '블로거의 일상식탁', '알아두면 좋은 손님의 집들이 선물' 같은 주제로 한국인의 삶과 관련된 정보를 제공하여 2300여 가지의 제품을 소개한다.

또한 소비자들의 구매 이력을 분석하여 취향을 파악해서 로그인 시 고객마다 다른 맞춤형 페이지를 보여주는 개인화 서비스로 개발하였다. 개개인의 스타일에 맞는 프로모션, 추천 상품, 추천 서비스를 제공해준다.

[그림 59] 자주 매장

오프라인 자주 매장은 '집'을 테마로 공간 구성해서 심플한 리빙 소품, 저렴한 가격의 주방, 욕실용품을 판매하고 오프라인 매장 또한 주제별 상품 정보를 디스플레이하여 실생활에서 해당 아이템을 어떻게 활용할 수 있는지 예시를 해주어 고객들의 시선을 사로잡고 제품 또한 구매하도록 유도한다. 제품들도 단순히 그 제품만을 디스플레이 하지 않고 자주의 여러 제품과 함께 진열해서 인테리어 효과와 다른 물건의 제품 판매율을 높여주는 방식을 보여준다.

2) 최근이슈

가) 자주, 베트남 호치민에 2호점 오픈

신세계인터내셔날의 자체 생활용품 브랜드 자주(JAJU)가 2019년부터 베트남 시장을 본격 공략한다는 소식을 전했다. 자주는 2019년 6월경, 호치민 이온몰 탄푸점에 첫 번째 매장을 열며 해외 시장 개척에 시동을 걸었다. 그리고 1호점 인기에 힘입어, 베트남 호치민시에 자주 2호

---

69) 출처: http://www.cnbnews.com/news/article.html?no=285558

- 64 -

점을 오픈했다고 전했다. 자주는 첫 매장인 이온몰 탄푸점이 기대 이상의 실적을 내자 2호점 개점 준비를 서둘렀다. 자주는 베트남 시장에서 20대 후반부터 30대 초반의 주부들에게 특히 인기있는 것으로 알려졌다. 베트남은 한국에 비해 초혼 연령과 경제 활동 연령대가 낮아 자주 매장을 찾는 주 고객층의 90% 이상이 25~34세 여성이다. 구매력이 높고 트렌드에 민감한 이들 사이에서 자주의 품질과 디자인에 대한 입소문이 빠르게 퍼지면서 매출이 증가하고 있는 것이다.

자주는 이들을 겨냥해 고품질의 주방 제품과 다양한 생활 소품, 유아동 패션과 식기류 등을 중심으로 매장을 구성했으며, 베트남 기후를 고려한 선풍기, 자외선 차단 잡화 및 의류와 최근 베트남의 소비 트렌드를 반영한 에어 프라이어, 반려동물 용품 등이 인기있는 제품이라고 전했다.[70]

나) 자주, 애슬레저 의류 출시

신세계인터내셔날의 라이프스타일 브랜드 자주(JAJU)가 기존에 판매하던 애슬레저 라인을 새롭게 추가하며 애슬레저 시장에 진출할 계획이라고 밝혔다. 최근 코로나19의 영향으로 집에서 운동하는 '홈트족(홈+트레이닝)'이 증가하면서 애슬레저 운동복에 대한 수요는 더욱 늘어나는 추세에 있다.

자주의 애슬레저 라인은 운동뿐만 아니라 일상복으로도 입을 수 있는 액티브 캐주얼웨어를 콘셉트로 한다. 프리미엄 운동복에 버금가는 기능성과 활동성,착용감을 제공하면서 일상에서 원마일웨어로 입기 좋은 세련된 스타일도 갖췄다.

무엇보다 상품마다 디자인과 기능을 차별화 해 소비자가 라이프스타일, 취향, 용도에 따라 상품을 선택할 수 있는 것이 차별점이다. 이에 따라 주요 제품인 '레깅스'와 '스포츠 브라'는 사용자의 운동 강도에 따라 적합한 제품을 고를 수 있도록 기능과 소재를 세분화했다. 자주의 애슬레저 라인은 전국 자주 일부 매장 및 신세계인터내셔날 공식 온라인몰 S.I.VILLAGE(에스아이빌리지)에서 판매되고 있다.[71]

---

70) 자주(JAJU), 호치민에 2호점 오픈하며 베트남 시장 본격 공략/어패럴뉴스
71) 자주(JAJU), '애슬레저 라인'까지 론칭/패션저널&텍스타일라이프

마. 모던하우스

[그림 60] 모던하우스 로고

브랜드명 : 모던하우스(이랜드)
점포수 : 50개
진출 시기 : 1996년 5월
연매출 : 2300억원
특징 : 주부 MD가 선정한 값싸고 실용적인 제품
유럽 감성 반영한 다채로운 디자인

[72]

[그림 61] 모던하우스 현황

모던하우슨 국내 업체 중 가장 먼저 홈퍼니싱 사업에 뛰어든 브랜드로 1996년 론칭한 이루 연평균 15% 이상의 성장세를 이어가고 있다. 이랜드 브랜드로 시작하였지만 현재는 홈플러스가 인수하여 운영 중이다.

1) 특징 및 전략

[73]

[그림 62] 모던하우스 매장

---

72) 출처: https://jmagazine.joins.com/economist/view/308477
73) 출처: 모던하우스 홈페이지

주방, 침구, 데코 전문 브랜드로써 이름에서도 알 수 있듯, 유럽풍 라이프스타일을 지향하고 있는 브랜드로 다른 브랜드와 차별화되는 점은 머천다이저(MD)의 90%를 주부로 구성해 제품에 반영하는 점이다. 30~40대를 겨냥하여 주부들의 눈높이에 맞는 상품을 개발한다. 주부 MD가 직접 20여 개국을 다니며 실생활에 필요한 상품을 제공하여 주부의 마음을 반영해 최대한 합리적인 가격을 책정하여 제품을 판매하는 방식을 택하고 있다.

또한 기존 업체들과 다르게 가구의 비중이 크며 침구와 주방 욕실용품 등 가구와 인테리어 용품을 한 곳에서 살 수 있는 방식을 택하고 있다. 유럽 감성을 담아서 시즌별 트렌드에 맞춰 다양한 상품들을 출시하며 소량으로 생산하는 시즌 콘셉트 상품들은 2~3주에 한 번씩 교체하여 유행해 민감한 소비층을 저격하였다. 유행에 구매 받지 않는 생활필수품들은 가격을 인상하지 않고 가격을 대폭 낮추는 전략으로 고객들의 재구매율을 높이고 있다.

10년 넘게 한결같이 이러한 전략을 고수하여 계속해서 매출의 성장세를 보여주었고 30~40대를 겨냥한 모던하우스와 달리 10~20대 젊은 층을 겨냥한 하위 브랜드 '버터'를 선보여 소비층의 확대를 꾀하고 있다.

74)

[그림 63] 버터 매장

유동인구가 많은 역세권 주변에 매장을 구축해서 접근성을 높이고 젊은 세대들의 생활 소비 트렌드에 맞춘 상품들을 1만 원대 이하의 가격으로 책정하였다. 문구·팬시류부터 인테리어 수품에 이르기까지 2000여 가지의 트렌디한 디자인의 제품들을 판매하며 매장의 메인 콘셉트가 2주마다 바뀌기 때문에 소비자들의 관심을 자아낸다.

---

74) 출처: http://www.pressm.kr/news/articleView.html?idxno=9951

2) 최근이슈

가) 모던하우스, 브랜드파워 1위에 선정

모던하우스가 한국능률협회컨설팅(KMAC)에서 주관한 '2020년 한국산업의 브랜드파워(K-BPI) 리빙SPA 부문에서 4년 연속 1위에 선정되었다고 밝혔다. K-BPI는 소비자들의 브랜드 영향력을 확인하는 국내 브랜드 평가 조사를 말하며, 15세 이상~60세 미만의 남녀 1만 1800명을 대상으로 부문별 최고 브랜드를 선정한다. 이에 모던하우스는 평가 항목인 인지도와 충성도에서 2위, 3위 브랜드들과 격차를 두고 우위를 보여 1위에 선정된 것으로 알려졌다.

모던하우스는 브랜드파워 4년 연속 1위 달성을 기념하여 '모던하우스 감사제' 행사를 진행할 예정이라고 밝혔다. 감사제 행사는 2020년 5월4일까지 진행되었으며, 각 매장별로 3일간의 브랜드데이 세일 행사 형식으로 진행되었다.[75]

바. 일룸

iloom

[그림 64] 일룸 로고

퍼시스 그룹의 자회사인 일룸은 학생용 가구와 서재가구에 주력하여 대표 브랜드로 자리 잡았다. 2010년 이후 리빙 전 영역으로 제품 개발을 확대하여 생활 가구 전문 브랜드로 자리매김하기 시작하였다.

2016년에는 조직을 세분화 하면서 카테고리별 전문 인력을 키우기 시작하였다. 학생 방, 서재 등을 담당하는 '스터디 가구 개발팀', 침실, 거실, 다이닝을 담당하는 '리빙 가구 개발팀', 소프트 의자를 담당하는 '소파 개발팀' 세 팀으로 나뉘어서 빠르게 변화하는 소비자 세대와 그에 따른 니즈를 맞추기 위해 노력 중이다.

---

75) 모던하우스, 4년 연속 리빙SPA부문 브랜드파워 1위/한국경제

1) 특징 및 전략

홈퍼니싱 시장에서 3~4위를 달리는 일룸은 1~2인 가구가 선호하는 제품들을 특화해서 좋은 반응을 얻고 있다. 소비자에게 차별화된 공간 활용 기회를 제공하는 것에 초점을 두고 있기 때문이다. '홈카페'와 '홈라이브러리'를 콘셉트로 하는 가구라인을 내놓았고 소파·벤치·간이 베드 등 다양하게 활용할 수 있는 멀티 소파와 평소에는 소파테이블로 활용하다가 문서작업이나 간단한 식사를 하고 싶을 때는 높이를 조절해 사용할 수 있는 제품을 출시해서 인기를 끌고 있다.

[그림 65] 일룸 홈페이지의 공간 컨설팅

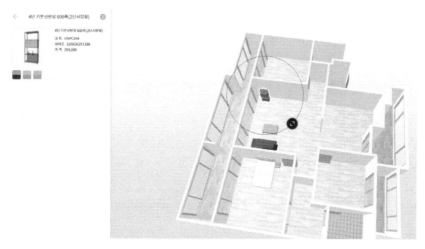

[그림 66] 일룸 홈페이지 아파트 도면을 이용한 가구 배치

또한 일룸 홈페이지에서는 소비자가 직접 아파트 도면을 불러와 가상으로 가구를 배치해볼 수 있어 자신이 현재 사는 공간에 원하는 색상과 사이즈의 가구를 선택해서 배치해볼 수 있

다. 이뿐 아니라 다양한 공간 활용 모델을 선보여 매장에 전시하고, 일룸 디지털 쇼룸을 통해 한층 입체적인 홈퍼니싱 체험 서비스를 제공하고 있다.

2) 최근이슈

가) 독일 iF 디자인 어워드 2020 2관왕 수상

퍼시스 그룹의 생활가구 전문 브랜드 일룸이 독일 'iF 디자인 어워드 2020(International Forum Design Award 2020)'에서 2관왕을 수상했다는 소식을 전했다. 이는 '홈 퍼니처(Home furniture)', '키즈 퍼니처(Kids Furniture)' 2개의 부문인 것으로 알려졌다.

'iF 디자인 어워드'는 1953년 독일 인터내셔널 포럼 주관으로 시작되었으며, 세계적인 디자인 어워드 중 하나로 제품, 패키지, 커뮤니케이션, 콘셉트 등 총 7개 부문에서 디자인, 혁신성, 기능성 등을 종합적으로 평가해 매년 최고의 디자인 결과물에 대해 상을 수여하고 있다.

'홈 퍼니처(Home furniture)' 부문 일룸 제품은 패밀리 침대 '쿠시노'였다. 이 제품은 세련된 디자인을 유지하면서도 가족 생애 주기에 따라 유연하게 변화가 가능한 것이 특징이다. 또한 '키즈 퍼니처(Kids Furniture)' 부문의 제품으로는 키즈 테이블 '따볼리네또'가 선정되었다.

일룸 '쿠시노'는 이번 수상에 앞서 국내 대표 디자인 어워드인 '2016 핀업 디자인 어워드'에서 파이널리스트로 선정된 바 있으며, '키즈 퍼니처' 부문을 수상한 일룸 '따볼리네또'는 '2019 일본 굿 디자인 어워드' 선정에 이어 독일 'iF 디자인 어워드 2020'에서도 수상을 하며 디자인의 가치를 다시 한번 인정받은 것으로 알려졌다.[76]

---

76) 일룸, 독일 iF 디자인 어워드 2020 2관왕 수상/국토일보

나) 2030 랜선 라이프스타일 세미나 개최

 퍼시스그룹의 생활 가구 전문 브랜드 일룸이 '1인 라이프'를 꿈꾸는 2030 세대를 위한 랜선 라이프스타일 세미나 '#나의횰로생활'을 개최했다는 소식을 전했다. 이 세미나는 2020년 6월 4일에 개최되었으며, 일룸 관계자는 최근 '나'를 위한 소비를 중시하는 젊은 세대 사이에서 '홀로'와 '욜로(Yolo)'의 합성어를 일컫는 '횰로'가 각광받고 있다는 점에 착안해 2030 세대의 고민과 관심사를 청취하고 이들의 횰로 생활에 실질적으로 도움을 줄 수 있는 라이프스타일을 제안하기 위해 이번 세미나를 기획했다고 밝혔다.

 세미나는 100분간 일룸 유튜브 채널을 통해 실시간 라이브 스트리밍으로 진행되었다. ▲#나의홈테리어생활 ▲#나의찐테크생활 ▲#나의취존생활 ▲#나의혼삶생활 등 총 4가지 프로그램으로 기획되어 있으며, 배우 안효섭부터 유튜버, 자산관리사, 방송 PD 등 각각의 프로그램에 맞는 연사가 참여해 시청자들과 소통했다.77)

 사. 까사미아

casamia 🏠

[그림 67] 까사미아 로고

 까사미아는 이탈리아어로 나의 집을 의미하는 브랜드로 직접 개발한 홈퍼니싱 제품을 코디네이션해서 판매하는 회사이다. '트렌드를 놓치지 않되 기본은 유지한다.' 라는 디자인 철학으로 제품을 선보이고 있다. 이케아에 맞서 중고가의 전략을 취하고 있으며 디자인에 많은 신경을 쓰고 있는 브랜드로 국내 시장에서는 규모나 수익성 면에서는 선두권과는 거리가 먼 회사였지만 2018년 홈퍼니싱 시장에 눈독을 들이던 신세계가 매입하였다.

---

77) 일룸, 2030 랜선 라이프스타일 세미나 '#나의횰로생활' 개최/아시아경제

1) 특징 및 전략

까사미아는 가성비 높은 소품과 온라인 전용 브랜드 '까사온' 중심의 '데일리까사'를 선보이면서 젊은 층의 홈 스타일링 니즈를 충족시키는 방식으로 영역확대에 나서고 있다. 또한 신세계백화점은 강남점과 센텀시티점에 팝업스토어를 운영해서 까사미아 제품의 홍보에 나서고 있다. 신세계측은 현재 72개인 까사미아 매장을 앞으로 5년 내 160개로 확대하겠다는 계획과 함께 5년 안에는 매출액을 4500억 원으로 10년 후 1조원 규모로 끌어올리겠다는 계획을 발표하였다. 디자인 경쟁력이 높은 데다 인테리어 소품의 매출 비중도 높은 까사미아를 통해 가구보다 생활 용품 시장 전반을 노릴 것이라고 예상되어진다.

2) 최근이슈

가) 까사미아, 2020년 투자 2배 확대

까사미아가 2020년도부터 본격적인 성장을 위해 투자를 2배로 확대하겠다는 방침을 전했다. 까사미아는 신세계로 인수된 지 올해로 3년 차에 접어들었다. 그동안 새로운 사업기반을 구축하는 과정에서 적자구조를 보였지만, 올해부터 투자를 늘려 눈에 띄는 성장을 이뤄내겠다는 포부를 밝힌 것이다.

신세계가 까사미아를 인수했을 당시, 홈퍼니싱 시장의 성장세는 나쁘지 않았다. 그러나 정부의 부동산 대책 등의 영향으로 시장 부진이 장기화되면서 성장세가 꺾이고 말았던 것이다. 이에 따라 까사미아는 2018년, 4억원의 영업적자를 기록한 후 2019년까지 영업적자 폭을 키웠다. 가구업계 1·2위 업체들도 실적부진에서 예외는 아니었다. 가구업계 처음으로 매출 2조원을 넘었던 한샘도 작년 매출액이 1조 7,023억원으로 전년 대비 12% 하락하면서 다시 1조원대로 내려 앉았다. 2위인 현대리바트의 영업이익은 전년 대비 51%나 급감했다.

한편, 까사미아는 2020년도 매출액 목표를 2019년 1,183억원 보다 35% 늘려 잡은 1,600억원으로 정했다. 또한 투자액은 작년 보다 2배 증가한 445억원이 예상된다. 까사미아는 이를 통해 20여개 매장과 디자인 인력을 확보하는 한편, 작년 선보인 삼성전자와 협업 매장처럼 특색있는 복합 매장을 늘릴 계획이며, 젊은 세대를 겨냥한 온라인 플랫폼 유통망도 강화할 예정이다.[78]

---

78) 진격의 까사미아...올 투자 두배 확대/서울경제

나) 삼성카드와 마케팅 업무 제휴

신세계 홈퍼니싱 브랜드 '까사미아(Casamia)'가 삼성카드와 마케팅 업무제휴 협약을 체결했다는 소식을 전했다. 까사미아와 삼성카드는 빅데이터 활용을 통한 공동 마케팅 활동 및 추후 사업 확대 방안 등도 함께 모색해 나갈 계획을 밝혔으며, 이번 협약을 통해 제휴카드 출시 등 고객에게 보다 실용적인 혜택을 제공하는 서비스 개발에 적극 협력하기로 했다.

까사미아는 삼성카드와의 협업으로, 코로나19 확산에 의한 '집콕족' 증가 추세를 반영한 온라인 구매 혜택 신규 서비스를 선보일 예정이라고 덧붙였다. 까사미아 관계자는 삼성카드와 이번 제휴로 양사 고객들에게 더욱 수준 높은 혜택과 서비스를 제공할 수 있게 될 것으로 기대한다고 전했다.[79]

다) 디자이너스 컬렉션 매장 확대

까사미아가 신규 '디자이너스 컬렉션'의 판매 매장을 확대, 프리미엄 시장 공략을 강화한다고 밝혔다. 까사미아는 디자이너스 컬렉션의 판매처를 기존 신세계강남점 한 곳에서 총 4개 매장으로 추가 확대할 예정이다. 까사미아가 론칭한 '디자이너스 컬렉션 by 파트리시아 우르퀴올라'는 국내 리빙 시장 트렌드와 남과 다른 개성을 중시하는 소비자 니즈에 맞춘 하이엔드 디자인 가구 컬렉션을 말하며, 세계 디자인 시장에서 가장 영향력 있는 디자이너 중 한 명으로 손꼽히는 파트리시아는 전 세계 디자인 트렌드를 이끌고 있는 인물이다.

2020년도에는 부산 신세계센텀시티몰점 내에 디자이너스 컬렉션이 전국 두 번째로 입점됐으며, 6월 중에 대표 매장인 압구정점을 비롯해 서울 평창동 '가나아트센터'에 신규 오픈 할 계획인 것으로 알려졌다.

파트리시아와 까사미아가 함께 협업해 선보인 이번 컬렉션은 아름다움과 실용성을 겸비한 리빙 제품 31종으로 구성됐으며, 실험적인 소재와 색감의 믹스매치, 완벽한 실루엣으로 일상의 공간을 예술작품과 같은 공간으로 완성한다.[80]

---

79) 까사미아, 삼성카드와 마케팅 업무제휴 협약…고객 혜택 강화/etnews
80) 까사미아, '파트리시아 우르퀴올라' 협업 컬렉션 확대/파이낸셜뉴스20th

아. 무인양품

1) 특징 및 전략

MUJI
無印良品

[그림 68] 무인양품 로고

무인양품은 일본 특유의 미니멀리즘 콘셉트로 국내 시장에 일본 양품계획 60%, 롯데상사 40%의 합작 법인을 세워 무지코리아를 통해 2003년 진출하였다. 일본에서 OEM기업에서 출발해서 홈퍼니싱 회사로 발전한 브랜드이다.

일본에서는 니토리와 함께 일본 홈퍼니싱 시장을 주도하고 있으며 한국을 비롯해서 26개국에서 418개의 매장을 운영 중이다.

무인양품은 단순한 디자인을 특징으로 인위적인 컬러나 가공을 최대한 배제하고 화이트, 원목 소재가 주를 이루고 있다. 무인양품은 주 고객층을 특정하지 않고 남녀노소 누구나 쉽게 사용할 수 있도록 범용성이 뛰어난 디자인에 집중한다. 무인양품의 제품들은 로고가 없고 유행을 따르지 않는다. 그러면서 어디에나 어울리는 제품을 생산하여 실용성을 메인으로 꾀한다. 무채색의 평범하면서도 단순한 디자인을 줄곧 고집하면서 무인양품의 큰 특징으로 자리 잡아 '무인양품스러운 디자인'이라는 말이 나올 정도로 무인양품만의 정체성을 확립하였다.

[그림 69] 무인양품 매장

무인양품은 한국과 비슷한 라이프스타일을 가지고 있는 일본에서 시작된 브랜드이기에 한국인들의 스타일과 잘 맞아서 한국에서도 큰 인기를 얻고 있다. 2018년 현재 합작사인 롯데의 유통 인프라를 중심으로 매장을 점차적으로 확대하여 국내에 28개점을 운영하고 있다. 지난해의 매출은 40% 가까이 늘어 1100억 원을 돌파한 것으로 알려졌다. 2020년까지 국내 매장의 늘릴 계획을 가지고 있으며 신촌에 플래그십 스토어를 열어 본격적으로 국내 홈퍼니싱 시장 공략을 할 것으로 예상된다.

2) 최근이슈

2019년도 유통업계에서 가장 큰 이슈는 '일본불매'였다. 일본이 강제징용 판결에 반발해 수출규제 조치를 내리자 국내 소비자들은 우리도 불매로 맞서자고 한마음으로 뭉친 것이다.

최근 우리 정부는 일본의 수출규제와 관련해 잠정 정지했던 세계무역기구(WTO) 분쟁 해결 절차를 재개하기로 했다. 지난해 일본이 국내 3개 품목에 내린 수출 규제 조치와 화이트리스트(수출 우대국) 제외 현안에 아직까지도 해결의지를 보이지 않았기 때문이다. 정부가 일본의 규제 조치에 다시금 칼을 빼들면서 일본 불매운동 행방에 관심이 쏠렸다.

이에 깔끔한 이미지로 사랑받았던 생활용품 브랜드 무인양품(무지)도 지난해 매출이 전년대비 100억원 넘게 하락했고 영업이익도 71억원 적자로 돌아선 것으로 알려졌다.[82]

---

81) 출처: 무인양품 홈페이지
82) [기자수첩] 일본 수출규제 1년 後…결국 '선택적 불매'만 남았나/한스경제

자. 자라 홈

1) 특징 및 전략

ZARA
HOME

[그림 70] 자라 홈 로고

자라 홈은 패션 브랜드인 자라를 모태로, 라이프스타일 용품을 넘어선 패션 브랜드를 지향한
다. 3500여명의 전문가와 디자이너로 이뤄진 팀이 수시로 새로운 디자인을 선보이며 매주 신
상품을 내놓고 있다.

[그림 71] 자라 홈 매장

2014년에 코엑스 몰에 첫 입점하여 강남구 가로수길, 스타필드 하남점을 운영하고 있으며
가로수길은 자라 홈이 국내에서 첫 번째로 오픈한 플래그십 스토어가 자리 잡고 있다. 자라
홈은 꾸준히 매출 성장세를 이어가고 있다.

패션 브랜드의 자라와 동일하게 매 시즌 트렌드를 반영해서 시즌당 4개, 1년에 8개의 컬렉션
을 출시하여 '빠르게 다양한 디자인을 선보이는' SPA전략을 반영하였다. 매장 내 디스플레이

83) 출처: http://h21.hani.co.kr/arti/economy/economy_general/38843.html

도 패션 매장의 형태를 택해서 품목별로 모으는 형태가 아닌 컬렉션별로 보여주는 형태를 택하였다. 자라 홈은 전 세계 매장이 동일하게 매 시즌 트렌드를 반영한 컬렉션을 입고하여 소비자들에게 전 세계 상품 트렌드를 볼 수 있게 해준다.

전 세계의 동일한 컬렉션을 반영하기에 자라 홈의 제품들은 이국적인 디자인 찾는 소비자들에게 인기를 얻고 있다. 트렌디하며 스타일리시함을 추구하는 소비자들이 자라 홈의 제품을 선호하며 자신의 집에도 세련된 패션을 입히고 싶어 하는 3040대 여성이 주요 소비자들이다.

자라 홈의 제품들은 컬러, 디자인 패턴들이 강렬하고 대부분 반짝이는 소품들이 많아서 화려함을 추구하는 선호한다. 국내에서는 찾아볼 수 없는 디자인을 구경하는 재미가 있으며 재질이 특이한 제품도 많아서 남들과는 다른 특별함을 추구하는 소비자들에게 유니크한 홈퍼니싱 브랜드로 자리 잡고 있다.

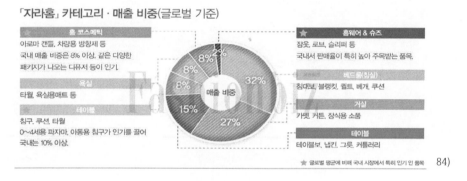

[그림 72] 자라 홈의 매출비중

국내에서 자라 홈은 패션 브랜드인 자라의 인기를 반영해서 홈웨어의 판매율이 특히 높아 주목받는 품목이다. 또한 디퓨저, 패브릭 향수 등의 품목을 같은 내용물이라도 시즌별, 컬렉션별로 완전히 다른 패키지로 출시하여 한국 소비자들에게 인기를 얻고 있다.

---

84) 출처: http://www.fashionbiz.co.kr/BR/view.asp?idx=160270

2) 최근이슈

인디텍스 그룹의 홈 데코 브랜드 자라홈(Zara Home)이 2020년 봄 여름 캠페인 컬렉션을 공개했다. 프랑스의 유명 사진작가인 파비앙 바론(Fabien Baron)이 지난 컬렉션에 이어 아트 디렉터를 맡아 자라홈이 추구하는 장인정신을 예술적으로 표현한 것으로 알려졌다. 자라홈의 2020년 봄 여름 캠페인 컬렉션은 시간이 천천히 흐르는 여유로움을 느끼게 하는 공간이라는 주제로, 일반 홈 텍스타일 제품 및 액세서리 등 다양한 가정용 소품을 선보인다.

컬렉션의 소품들은 유리 항아리의 망치 자국, 세라믹 용기의 손으로 칠한 페인트 마감, 장난 스러운 비대칭 헝겊 조각 이불 등 가공되지 않은 형태의 자연스러움을 더하는 다양한 디자인 요소를 제시한다.[85]

---

85) 자라홈, 2020년 봄 여름 캠페인 컬렉션 공개/어패럴뉴스

차. ILVA

그림 73 일바(ILVA) 로고

덴마크 홈퍼니싱 대표 브랜드 '일바(ILVA)'는 1961년 설립되었다. 'Your Home, Our Passion'이라는 슬로건으로 고객의 집에 열정이 담긴 제품을 제공해온 일바는 덴마크 내에서 '국민 홈퍼니싱 브랜드'로 불리고 있다. 원래 IDdesign 산하 브랜드였지만, 덴마크 최대 홈퍼니싱 그룹 라르스 라르센 그룹(Lars Larsen Group)에서 모기업인 IDdesign을 인수하면서 ILVA와 IDdesign, IDEmøbler 등 세 개의 브랜드가 ILVA로 통합됐다.

1) 특징 및 전략

그림 74 출처: 일바 홈페이지

ILVA(일바)는 덴마크 내 가장 큰 규모의 가구집단 유스크그룹에 속해있으며 1969년에 시작되어 50년의 역사를 지닌 브랜드이다. 2018년 4월 국내에 진출한 이후 재질과 색상, 디자인

등을 개인의 취향에 따라 커스텀이 가능한 고객맞춤형 방식의 전략을 추구해 VIP 소비자와 연예인들 사이에서 인기를 끌고 있다.

 일바의 홈퍼니싱 제품들은 '스칸디나비안 감성'이 반영되었다. 소파, 암체어, 협탁, 커피테이블, 침대 등의 가구뿐 아니라 러그, 쿠션 및 각종 데코레이션 소품 등 폭넓은 제품군, 트렌드 컬러 팔레트, 고품질 소재를 바탕으로 이루어지는데, 대부분의 가구 제품은 컬러, 재질 등의 커스터마이징이 가능해 취향과 개성을 표현할 수 있어, 여러 가지 콘셉트로 인테리어를 할 수 있다.86)

2) 최근이슈

덴마크 최대 가구 브랜드 ILVA(일바)가 롯데 하이마트 메가스토어 잠실점에 입점했다는 소식을 전했다.

 케빈 찬 리 (Kevin Chan Le) ILVA(일바)의 부사장은 하이마트 메가스토어에 대하여 '프리미엄라인을 중점으로 마케팅을 한다'는 점이 입점을 하게 된 큰 이유였다고 밝혔다. 또한 가구의 생애주기와 가전교체시기가 비슷하기 때문에 고객들이 많이 유입될 수 있을 것 같았고, 더 많은 고객들이 ILVA(일바)의 제품을 느끼고 경험하게 해서 일바라는 브랜드를 널리 알게 할 수 있을 것이라고 전했다.

또한 아시아 내에서 한국이 덴마크 디자인에 대한 관심도가 가장 높다면서, 덴마크 내에서도 고가브랜드를 쓰는 사람은 드문데 한국시장에서는 프리미엄브랜드가 잘 되는 것이 놀라웠다고 덧붙였다.87)

---

86) 편안하고 실용적인 디자인으로 공간에 감성을 더하는 가구/디자인정글
87) ILVA(일바), 롯데하이마트 메가스토어 잠실점 입점/비욘드포스트

카. 마켓비[88]

1) 특징 및 전략

MARKET B

그림 75 마켓비 로고(출처: 마켓비 홈페이지)

그림 76 마켓비 판매상품(출처: 마켓비 홈페이지)

마켓비는 '핫'하게 떠오르는 홈퍼니싱 브랜드이다. 특히 유튜버들 사이에서 '룸투어' 영상에 자주 등장하는 단골 브랜드이다. 마켓비의 특징은 중저가의 저렴한 가격으로 만나볼 수 있는 다양한 가구와 인테리어 소품들이다. 10초에 1개씩 팔리는 '국민가구'라는 슬로건도 내걸었다.

2005년에 창립한 마켓비는 가구업계의 불황 속에도 트렌디한 디자인과 합리적인 가격으로 매년 성장을 거듭해 온라인 가구 1위 업체로 성장했다. 마켓비의 오프라인 매장 '마켓비 스토어'는 공간 컨셉별로 구성되어 '다양한 홈스타일을 직접 경험하고 즐길 수 있는 매장'으로 꾸

---

88) 마켓비 홈페이지 https://marketb.kr/

며져 있다. 카페와 함께하는 공간에서 커피와 음료를 즐기며, 가구를 직접 사용해 볼 수 있는 체험형 매장으로 운영 중이다.

2) 최근이슈

가) 위탁판매 파트너 모집 확대

홈퍼니싱 브랜드 '마켓비'가 해당업계에서 트렌디한 디자인과 합리적인 가격, 경쟁력 있는 마진율로 삼박자를 고루 갖췄다는 평가를 받으며, 온라인 홈퍼니싱 업계에서 빠르게 성장하고 있다. 이에 따라 예비 창업자들의 위탁판매 문의도 증가하고 있는 추세로, 마켓비는 이에 발맞추어 온라인 위탁판매자 모집을 확대하겠다는 방침을 밝혔다.

마켓비와 위탁판매 계약을 체결하면 별도의 라이선스 사용료 없이 마켓비의 전 상품을 위탁 전용 가격으로 공급받을 수 있으며, 특히, 2만 개 이상의 폭 넓은 제품 라인업과 직배송 시스템이 안정적인 수익 유지를 가능하게 한다. 위탁판매에 따르는 다양한 제반 업무도 갖추고 있으며, 세계적 품질의 제품 소싱, 홍보/마케팅, 재고관리 그리고 CS까지 모두 마켓비가 담당한다. 따라서 위탁 판매자는 세일즈에만 집중할 수 있는 환경이 마련되어 1인 운영도 수월하다.

위탁판매자의 만족도가 가장 높은 지원 정책은 '마케팅 지원'이다. 마켓비는 월 100개 이상의 홍보 컨텐츠를 자체 제작해 온라인/SNS 채널을 통해 적극적인 홍보 및 마케팅을 펼치고 있다. 위탁판매자의 입장에서 보면, 홍보 및 마케팅의 비용이 따로 들지 않아서 좋고, 인스타그램을 비롯한 마켓비의 각종 SNS 팔로워 수는 약 100만 명을 상회하는 수준이어서 마케팅 루트 또한 매우 활성화되어 있는 것이다.

본사의 활발한 마케팅 활동은 위탁판매자의 판매 채널에 고객을 끊임없이 유입시켜 실질적인 매출증대로 이어지고 있다. 실제로 본업 외 투잡으로 마켓비 위탁판매를 시작해 월 3,000만원 이상의 매출을 달성하는 사례도 적지 않은 것으로 알려져 있다. 마켓비 위탁판매 관련 자세한 내용은 공식몰의 대리점/위탁문의 게시판에서 확인할 수 있다.[89]

---

89) 마켓비, 온라인 판매 급성장으로 위탁판매 파트너 모집 확대/서울경제

나) 오프라인 매장 확대

홈퍼니싱 브랜드 '마켓비'가 온라인을 넘어 오프라인 매장에서도 인기를 얻고 있다. '홈스타일링의 모든 것'을 직접 체험할 수 있는 마켓비의 오프라인 매장은 전국적으로 확장되고 있다. 마켓비는 현재 전국에 직영, 대리점 14곳을 운영 중인데, 수도권에 용산, 방배, 김포, 인천, 경상권은 김해, 창원, 대구, 양산, 부산 강서와 동래, 충청권에는 서산, 충주, 그리고 전라권 영광 및 제주 등이 있다.

한편, 마켓비는 신규 가맹점을 모집중이라고 전했다. 서울과 광역시는 구 단위, 그 외 지역은 시 단위로 1지역 1매장을 원칙으로 한다. 이는 가맹점의 상권을 철저히 보장하는 영업 방침 때문이다. 마켓비는 가맹점 모집을 통해 전국에 마켓비 매장을 200여개로 오픈하는 것을 목표로 하고 있다면서, 오프라인 매장을 위한 다양한 이벤트도 집중 홍보하고 있다고 덧붙였다. 가맹점 모집 관련 내용은 마켓비 공식몰에서 확인할 수 있다.[90]

타. 룸앤홈[91]

1) 특징 및 전략

그림 77 룸앤홈 로고(출처: 홈페이지)

룸앤홈도 마켓비와 마찬가지로, 온라인 홈퍼니싱 업계에서 떠오르고 있는 브랜드이다. 특히 '오늘의 집'의 추천 브랜드로 뜨고 있다. 저렴한 가격과 다양한 디자인의 가구, 인테리어 소품들로 유명하다. 북유럽 풍과 자연주의 컨셉의 제품들이 많은 편이다.

---

90) 홈퍼니싱 브랜드 '마켓비' 오프라인에서도 통했다/어패럴뉴스
91) 룸앤홈 홈페이지 http://www.roomnhome.com/

그림 78 룸앤홈 판매 제품(출처: 홈페이지)

2) 최근이슈

'룸앤홈'은 소셜네트워크서비스 인스타그램에서 감각적인 사진으로 호평받고 있는 홈퍼니싱 브랜드이다. 흔히 말하는 신조어 '집꾸러'들 사이에서 룸앤홈은 모던하고 감성적인 인테리어 소품들을 선보이고 있으며, 소비자들 사이에서 '소품맛집'이라는 해시태그까지 생성되는 등 호응을 얻고 있다.

또한 룸앤홈은 고객들의 니즈와 선호도 높은 트랜드를 기반으로 가구, 소품, 리빙용품 등 생활 전반에 이르는 다양한 제품을 직접 디자인하고 제조하며 가성비와 가심비를 채워주는 홈퍼니싱 브랜드로 성장하고 있다.

룸앤홈의 대표 상품으로는 2019년 상반기 베스트셀러인 '조립식 진열장'이 있다. 이 제품은 원하는 용도에 따라 제품의 높이와 구성을 조절할 수 있어 다용도로 사용하기 좋아 온라인에서 입소문을 탄 제품이다.

아울러 룸앤홈은 최근 국내 인기에 힘입어 '제14회 라이프스타일 엑스포 도쿄'에 참가했다고 밝혔다. 해당 박람회는 일본 최대 전시 주최사 리드익스히비션재팬(Reed Exhibitions Japan)이 주최한 박람회로 심사위원들의 까다로운 심사를 거쳐야만 참가할 수 있어 최근 디자인업계로부터 관심을 받고 있는 박람회다. 이곳에서 룸앤홈은 '인테리어 도쿄' 섹션에 참가해 심플하고 감각적인 디자인의 베스트상품들을 활용한 '원룸' 컨셉의 부스를 선보였다고 전했다.[92]

---

92) 홈퍼니싱 브랜드 룸앤홈, 온라인 '집꾸러'들에게 입소문/dailygrid

파. 베드 배스 앤드 비욘드(Bed bath and beyond)

[그림 79] 베드 배스 앤드 비욘드 로고

1971년 문을 연 베드 배스 앤드 비욘드는 가구 및 집안 소품을 슈퍼마켓처럼 진열하고 판매하는 형식을 처음으로 도입한 브랜드이다. 침구류부터 주방용품, 가구까지 다양한 제품을 판매하고 있다. 1991년에는 판매액이 1억 3천 4백만 달러를 돌파했고, 다음 해에 미국 장외주식시장인 나스닥에 상장되었다.

[그림 80] 베드 배스 앤드 비욘드 매장

'편안함'을 기업 이미지로 내세워서 매장 인테리어도 '편안함', '쉼', '안락함'에 초점을 맞춰 배치하고 있다. 경쟁업체인 윌리엄 소노마(Williams-Sonoma)나 크레이트 앤 배럴(Crate &Barrel)이 고급스러운 제품을 선별하여 고가에 판매하는 것과는 다르게 적장한 가격과 품질의 제품을 많이 파는 것에 초점을 맞췄다. 매장과 온라인 홈페이지에서 20% 할인 쿠폰을 배포하며 저렴한 가격대의 상품들은 시즌마다 다른 디자인으로 선보이고 있다.

---

93) 출처: 네이버 블로그, https://blog.naver.com/pmzine/221150570433

또한 고객 서비스를 확대하였는데 그 중 하나가 환불 정책이다. 일정 기간 이내에 영수증과 제품을 가져가면 제품을 꼼꼼하게 살펴보지 않고 돈을 돌려준다. 심지어 영수증과 구매 지불한 신용카드가 없어도 교환이나 포인트로 환불을 받을 수 있도록 하여 고객들의 만족을 최우선으로 한다는 원칙을 지키고 있다.

지역 상권마다 직접 상품을 만져보고 선택할 수 있는 상점을 계속 운영하면서 온라인 홈페이지도 운영하여 전 세계로 배송 서비스를 실시한다.[94]

---

94) 네이버 지식백과, 베드 배스 앤드 비욘드

5. 시사점

5. 시사점

　단순히 의식주를 해결하는 공간이었던 집은 휴식의 공간이자 자신의 취향을 반영하는 공간으로 인식되고 있다. 아파트 건설 시장은 포화 상태에 이르렀고, 사람들은 더 이상 집을 재테크의 수단으로 보지 않는다. 현대인들에게 집은 소유하는 것을 넘어서 내 취향대로 꾸미고 그 공간 안에서 안식을 얻는 공간으로 자리매김하고 있다.

　집에 대한 인식을 조사한 결과 '집에 있을 때 가장 마음이 편하다.'라고 답한 사람은 81.9%, '집에서 할 수 있는 것에 관심이 점점 많아진다.'라고 답한 사람은 70.4%로[95] 현대인에게 집은 경쟁적인 사회에서 힐링을 할 수 있는 공간이란 의미가 커져가고 있다. 야외활동 보다는 집안에서 여가와 휴식을 즐기는 사람들이 늘어나고 있는 것이다.

　집은 나만의 공간에서 나의 취향을 반영하는 또 하나의 자신이 되어 SNS를 통해 자신의 집을 자랑하고 '온라인 집들이'가 하나의 트렌드로 성행하고 있다. 집이 자신의 취향을 보여주는 공간이 되면서 홈퍼니싱 시장도 급성장을 거듭하고 있다.

　홈퍼니싱 시장을 이끄는 주요 소비자층은 20~30대로 급증하는 1인 가구를 이루는 주요 구성원이자 자기표현에 적극적인 세대로 평가되고 있다. 이들은 워라밸(일과 삶의 균형), 소확행(작지만 확실한 행복) 등 일상에 집중하는 세대로 홈퍼니싱에 관한 관심이 무척이나 높다. 자신만의 행복, 즐거움을 찾기 위해서 홈퍼니싱이 삶 속에 자리 잡게 된 것이다.

　20~30대가 얘기하는 홈퍼니싱은 '사람을 만나는 것보다 내가 꾸민 나만의 공간에서 편히 쉴 때 행복하다.', '자취방이라 한계가 있지만 작은 소품으로 꾸미는 재미가 있다.', '디저트 하나도 예쁜 그릇에 담아 즐기면서 기분 전환을 한다.'으로 나만의 공간을 오롯이 나를 위해서 투자하고 그 안에서 만족을 누리는 곳으로 잠시 머무는 공간이라도 그 공간과 그 공간이 주는 분위기가 중요해졌다고 볼 수 있다.

　이런 사회 현상을 반영하여 이케아를 시작으로 국내·외 많은 기업들이 홈퍼니싱 시장에 진출하였고 홈퍼니싱 시장은 경기 불황이 이어지고 있는 가운데 블루오션 시장이 되었다. 이런 홈퍼니싱 시장에서 경쟁력을 갖추기 위해서 제품에 전문적인 디자인 기능을 추가하거나, 스마트 기술을 접목한 제품 등으로 차별화가 필요해보이고 제품뿐만 아니라 마케팅, 유통 서비스의

---

95) [내 방에 산다] 여유없는 2030이 집중하는 건 '나만을 위한 공간(2016), 데일리팝, http://www.dailypop.kr/news/articleView.html?idxno=19550

차별화 또한 기업의 경쟁력을 갖추기 위해 필요해 보인다.

또한 이처럼 홈퍼니싱이 열풍인 가운데 주로 홈퍼니싱을 하는 사람들이 전·월세의 세입자인 경우가 많아서 꾸미는데 한계가 있고 혹여나 집에 발생하는 하자들도 세입자들이 책임져야 하기 때문에 홈퍼니싱을 무작정 시작하기보다 이 사항을 염두에 두고 시작하는 게 필요해 보인다.

이번에 새로 업데이트된 개정판에서는 특히 전 세계적으로 퍼지고 있는 '코로나19 바이러스'로 인해 홈퍼니싱 업계에 미친 영향에 대해 다루었다. 모든 분야의 산업이 코로나로 인해 침체되어 버린 것이 사실이지만, 홈퍼니싱 산업은 오히려 성장세를 띄고 있다. 이유는, '사회적 거리두기'로 인해 집 안에 머무는 시간이 늘어났기 때문이다. 전국적으로 온라인 개학, 재택근무 등이 시행되면서 어쩔 수 없이 집 안에 머무는 시간이 늘어나게 되었고, 이로 인해 집을 조금 더 쾌적하고 안락한 공간으로 바꾸고자 하는 수요가 증가한 것이다. 재택근무의 활성화로 인한 '홈오피스' 품목에 대한 관심도 높아지고 있다. 당분간 이와 같은 현상은 지속될 것으로 보여지며, 홈퍼니싱 산업에 대한 수요도 지속적으로 증가할 것으로 전망된다.

Home + Furnishing

6. 참고문헌

6. 참고문헌

1) 네이버 지식백과, 홈퍼니싱 사전적 의미, 재구성

2) 네이버 지식백과, 욜로족 사전적 의미

3) 네이버 지식백과, 워라밸 세대 사전적 의미

4) 김태선 (2016), 1인 가구의 소비성향 분석을 통한 홈퍼니싱 제품전략 연구, 한국가구학회지

5) KB지식비타민: 이케아 진출 2년, 홈퍼니싱 시장의 변화(2016)

6) 오늘의집, 누적 다운로드 1천만 돌파/bloter

7) MBC '나 혼자 산다' 캡쳐

8) SBS 집사의 선택 프로그램

9) Pantone

10) 2020 서울리빙디자인페어

11) 2020 인천리빙디자인페어

12) 경향하우징페어

13) 유통가에 불붙는 '홈퍼니싱' 경쟁(2018), 주간경향

14) 코로나19 여파에 홈퍼니싱 열풍 다시 불어온다/매일일보

15) 강제 집콕에 홈퍼니싱 '팡'…아늑한 홈오피스·홈카페/매경economy

16) 재택근무용 '홈오피스 상품' 각광/건설경제

17) 가구업계, 언택트 소비 확산에 온라인 '각축' 치열/위키리스크한국

18) 온라인몰 강화하는 가구업계…"비대면이 대세"/MTN 머니투데이 방송

19) 가구부터 벽지까지…직구하라, 홈퍼니싱(2016)

20) 롯데백화점, 집 꾸미기 인기에 홈퍼니싱 페어 개최/브릿지경제

21) 유통가에 불붙는 '홈퍼니싱' 경쟁 (2018), 주간경향

22) 코로나19에 집 꾸미기 열풍…신세계, 홈퍼니싱 매출 쑥/스카이데일리

23) 도심으로 들어온 이케아…현대백화점 천호점에 이케아 매장 오픈/노컷뉴스

24) 부동산 안정에 리모델링 급증…'홈 인테리어' 고삐 죄는 한샘/한경비즈니스

25) [글로벌 트렌드] 밀레니얼·Z세대가 몰려온다…美가구시장 '렌탈시대' 활짝/매일경제 MBN

26) [기획] 일본 리폼시장, 국내보다 10년 앞섰다/국토일보

27) [BTSC] #6 집꾸미기의 재미: 홈퍼니싱전문점의 성장, 중국의 홍싱메이카이룽/더 도어 The Door

28) [글로벌-Biz 24] 스위스 가구 시장 지속적으로 성장…한국 업체들 CE인증 획득하지 않아 진출에 어려움/글로벌이코노믹

29) 베트남, 도시 거주민 늘어나면서 인테리어 가구 시장 '활짝'/CHUNGHO

30) 2019 베트남 가구 산업 현황 및 전망/한국무역협회 호치민지부

31) '제품보다 가격을 먼저 디자인한다'(2017), 한국경제매거진, 2017.09.18

32) 이케아 매장, 충동구매 유도하려 미로처럼..쇼핑객들 8시간 머물기도(2011), 민중의 소리

33) 이케아 홈페이지

34) 위키백과, 이케아 효과, 재구성

35) 지식비타민: 이케아 진출 2년, 홈퍼니싱 시장의 변화

36) "사무실 꾸며드려요"…이케아, B2B 가구시장 진출/한국경제

37) 서울에 '미니 이케아' 뜬다/서울경제

38) '가구공룡' 이케아, 가든파이브에 도심형 매장 여나/조선비즈

39) 경기연구원 이케아 보고서

40) '홈퍼니싱'족 늘자… 가구회사가 '공간'을 팔기 시작했다(2017), 국민일보

41) 온라인 힘주는 한샘·현대리바트, 오프라인 확대 이케아…'상반된 전략' 눈길/아주경제

42) 한샘, 리모델링에 환경친화적 자재 적용/여성신문

43) 한샘, O4O 플랫폼 '한샘닷컴' 대리점과 상생 역할/패션비즈

44) 현대리바트 주식 매수의견 유지, "빌트인 가구에 집중해 성과 거둬"/비즈니스 포스트

45) 리바트 홈페이지

46) 현대리바트 온라인 사업 매출 25% 뛰어/파이낸셜 뉴스 20th

47) 현대리바트, 용인에 초대형 리바트스타일샵 전시장 열어/비즈니스 포스트

48) 자주(JAJU), 호치민에 2호점 오픈하며 베트남 시장 본격 공략/어패럴뉴스

49) 자주(JAJU), '애슬레저 라인'까지 론칭/패션저널&텍스타일라이프

50) 모던하우스 홈페이지

51) 모던하우스, 4년 연속 리빙SPA부문 브랜드파워 1위/한국경제

52) 일룸, 독일 iF 디자인 어워드 2020 2관왕 수상/국토일보

53) 일룸, 2030 랜선 라이프스타일 세미나 '#나의홀로생활' 개최/아시아경제

54) 진격의 까사미아...올 투자 두배 확대/서울경제

55) 까사미아, 삼성카드와 마케팅 업무제휴 협약…고객 혜택 강화/etnews

56) 까사미아, '파트리시아 우르퀴올라' 협업 컬렉션 확대/파이낸셜뉴스20th

57) 무인양품 홈페이지

58) [기자수첩] 일본 수출규제 1년 後…결국 '선택적 불매'만 남았나/한스경제

59) 자라홈, 2020년 봄 여름 캠페인 컬렉션 공개/어패럴뉴스

60) 편안하고 실용적인 디자인으로 공간에 감성을 더하는 가구/디자인정글

61) ILVA(일바), 롯데하이마트 메가스토어 잠실점 입점/비욘드포스트

62) 마켓비 홈페이지

63) 마켓비, 온라인 판매 급성장으로 위탁판매 파트너 모집 확대/서울경제

64) 홈퍼니싱 브랜드 '마켓비' 오프라인에서도 통했다/어패럴뉴스

65) 룸앤홈 홈페이지

66) 홈퍼니싱 브랜드 룸앤홈, 온라인 '집꾸러'들에게 입소문/dailygrid

67) 네이버 지식백과, 베드 배스 앤드 비욘드

68) [내 방에 산다] 여유없는 2030이 집중하는 건 '나만을 위한 공간(2016), 데일리팝

초판 1쇄 인쇄 2018년 8월 13일
초판 1쇄 발행 2018년 8월 20일
개정판 발행 2020년 7월 1일
개정2판 발행 2022년 5월 23일

편저 ㈜비피기술거래
펴낸곳 비티타임즈
발행자번호 959406
주소 전북 전주시 서신동 780-2 3층
대표전화 063 277 3557
팩스 063 277 3558
이메일 bpj3558@naver.com
ISBN 979-11-6345-358-1(13590)

이 도서의 국립중앙도서관 출판예정도서목록(CIP)은 서지정보유통지원시스템 홈페이지
(http://seoji.nl.go.kr)와 국가자료공동목록시스템 (http://www.nl.go.kr/kolisnet)에서 이용하실 수 있
습니다.